Isabelle Panzadopoulos

La Décision

Gallimard

Pour Antoine,
Encore,
Toujours,
Infiniment.

Ce soir-là sans savoir j'ai su.

J'étais au concert à la salle Pleyel. J'ai su à travers la musique, à cause ou avec elle. C'était la 9ᵉ de Mahler dirigée par Claudio Abbado. Je me suis mise à attendre, à attendre si fort que les larmes ont coulé.

Une émotion brute, douloureuse et si lourde, ça monte crescendo, pas à pas, et puis ça se déchire dans un chaos sonore, pas tout de suite, pas encore, ça menace, ça tourmente et puis ça disparaît, la mélodie revient, comme un souvenir, légère, insouciante, et pourtant nostalgique, déjà perdue, elle s'enfuit, s'estompe, et la violence reprend, explosive... Ballottée, submergée, je me rends, il n'y a rien à comprendre, et soudain ce silence, l'intuition du vertige, quelque chose qui s'incarne, la sensation d'un massacre, si ce n'était la douceur de la flûte...

– Samuel, pourriez-vous nous rappeler le principe des suites géométriques, s'il vous plaît ?

Ça aurait pu être un matin comme un autre. Un cours de maths aussi banal et ennuyeux que tous ceux qu'on subissait sept fois par semaine. Mlle Bindenbaum ronronnant sa leçon, m'interrogeant comme il se doit, puisque j'étais le plus petit, le plus obéissant et le meilleur de la classe.

J'ai fait ce qu'elle attendait de moi. J'ai récité :

– Dire que la suite (U_n) est géométrique de raison q signifie que pour tout entier naturel n, $U_{n+1} = q \times U_n$.

Badaboum a acquiescé d'un air satisfait. Et elle s'est remise à gratter ses formules sur le tableau noir.

J'ai regardé la classe. Il y en avait trois qui dormaient sur leur table. J'ai soupiré et j'ai recommencé à prendre le cours en note.

Je suis plutôt du genre discret et arrangeant, détestant faire des vagues, paisible comme une vache. Peut-être parce que deux ans d'avance sur les autres, ça fait aussi vingt centimètres en moins. Ou parce que ça m'arrangeait, je ne dérangeais personne, ni les profs ni les autres élèves. Et surtout pas moi-même.

On était le 20 octobre 2011. Ça faisait dix jours que les lycéens étaient dans la rue pour demander plus de justice sociale, le retrait *pur et simple* de la réforme des retraites, dix jours que les adultes répétaient outrés qu'ils n'avaient rien à faire là. Mais on avait beau le leur dire, ils criaient plus fort que ceux qui voulaient les faire taire.

Sauf nous, quelques irréductibles de Terminale S, en classe à cause du fameux bac, *l'incontournable, le terrible, l'Examen-final-qui-déciderait-de-nos-vies*.

Une petite dizaine d'adolescents dociles, de futurs citoyens respectueux et instruits.

Mais le bruit de la rue couvrait déjà le son de nos voix. Un bruit comme un présage. Quelque chose grondait à notre insu. Une tempête, un orage, une catastrophe irrémédiable. Non, ça n'a pas été un matin comme un autre.

Louise s'est levée et tout a basculé.
– Je me sens pas bien…
Badaboum, interloquée, n'a eu le temps de rien.

Elle m'a juste fait signe de la suivre. C'est moi le délégué. La porte avait déjà claqué derrière Louise.

En sortant, elle a tout emporté.

Rien ne reste aujourd'hui de l'innocence qu'on arborait ce matin-là. Comme si nous avions brusquement arraché nos masques d'enfants sages, ce n'était plus un jeu, la vie en vrai nous a sauté au visage, on est devenus grands, capables de faire des choix, des bons et des mauvais, d'être courageux, lâches, lucides ou hypocrites, insolents ou soumis, des hommes honnêtes ou des monstres.

Ou tout ça à la fois.

Je me suis levé, euphorique, j'ai traversé la classe sous le regard envieux de ceux qui m'avaient élu pour les représenter. Badaboum m'a fusillé du regard, soupçonnant une ruse. Elle a déclaré qu'elle veillerait à vérifier si. Je n'ai pas pu m'empêcher de sourire en refermant la porte. Comme les autres, j'ai cru que Louise avait décidé de rejoindre ceux de la rue pour se heurter elle aussi à la violence du monde. Je ne savais pas encore que la violence était restée dans la classe, bien au chaud, assise sur sa chaise.

J'ai fait un clin d'œil à Louise quand on s'est retrouvés dans le couloir mais elle n'a rien remarqué. Alors, j'ai vu qu'elle était aussi blanche que le mur. Quelque chose n'allait pas.

– Ça va ?

Elle a fait non de la tête. On est d'abord allés

toquer à la porte de l'infirmerie qui se trouvait à l'étage. Mais sans y croire vraiment. Et, comme prévu, on a trouvé porte close. Louise marchait lentement, un peu hagarde, de temps en temps, elle s'arrêtait, prise d'une crampe, et se pliait en deux. J'attendais que ça se calme en regardant ailleurs. J'étais un peu gêné et je lui en voulais presque d'être malade dans un moment pareil. J'aurais rêvé qu'on se soit échappés du cours de maths pour de vrai, pour courir dans les couloirs déserts et pourquoi pas, rejoindre les autres dans la rue et se noyer tous les deux dans la foule. Elle a fini par dire qu'il fallait qu'elle aille aux toilettes, elle marchait avec de plus en plus de difficulté, pliée en deux, les dents serrées. Je voyais bien que quelque chose clochait, mais je n'ai rien fait d'autre que de la conduire où elle me disait d'aller. Peut-être que je lui ai proposé d'aller chercher de l'aide. Mais je n'en suis pas sûr. Évidemment, je ne pouvais pas imaginer… Je préfère penser que je me suis inquiété. Alors qu'en vérité, je ne me suis rendu compte de rien. Au moment même où c'était en train de se passer.

Elle s'était enfermée dans les toilettes et je n'avais aucune envie de retourner en cours. Il y avait dans les couloirs un drôle de silence d'autant plus troublant que dans la rue complètement bloquée, les Klaxons s'en donnaient à cœur joie. Je pourrais jurer qu'il n'y avait aucun bruit qui provenait des toilettes, qu'elle n'a même pas crié. Je pourrais le jurer mais, en même temps, je mentirais. J'essaie de trouver quelque chose qui aurait pu faire que... qui m'aurait préparé à... Mais j'ai juste allumé une clope, en me disant tout content que dans ce lycée désert, personne n'en saurait jamais rien. Je l'ai fumée jusqu'au bout, j'ai ouvert la fenêtre et je l'ai jetée dans la rue. C'est à ce moment-là que j'ai trouvé bizarre tout ce temps qu'elle prenait pour... *qu'est-ce que j'imaginais ?*

Je suis entré dans les toilettes. J'ai appelé Louise, trois fois et de plus en plus fort. Elle n'a pas répondu.

Pour calmer ma conscience, je ne cesse de me répéter qu'un autre que moi n'aurait pas fait mieux. Mais ma conscience est tenace et m'empêche de dormir. Les questions tournent et cognent et ne trouvent pas de réponses.

Cette fille, Louise, on en a tous rêvé. Elle incarnait pour nous, dans notre petite bande, une sorte d'idéal, la perfection incarnée. Comme si rien jamais ne pouvait lui arriver. C'est pas seulement qu'elle était belle et blonde avec ses cheveux longs et fins qui tombaient sur ses reins, c'est surtout qu'elle imposait autour d'elle une forme de légèreté. Meilleure en tout, comment dire... aussi insaisissable et mystérieuse qu'une diva.

Louise, je voudrais pouvoir te dire à quel point tu nous manques. Mais depuis ce jour-là...

J'ai tapé sur la porte close. Et puis j'ai vu du sang. J'ai été pris d'une telle panique que je n'ai pas bougé. J'ai regardé le sang qui coulait comme un petit ruisseau jusque sous les lavabos. Et puis j'ai croisé mon propre regard dans le miroir. Ça a été comme un électrochoc, je me suis jeté dans les escaliers en hurlant pour appeler du secours.

Je suis tombé sur Poirier, le proviseur, il a appelé les pompiers avant de me mettre à l'écart. J'ai fait semblant de m'en aller, mais je me suis caché dans un recoin derrière les escaliers et j'ai attendu. Je voulais savoir, savoir à tout prix.

Après...

Après, je ne sais trop comment dire... ça a duré longtemps avant que les pompiers n'arrivent, longtemps avant qu'ils ne repassent devant moi. Et puis, enfin, ils sont apparus, quelques secondes où je n'ai cru ni à ce que j'avais vu et encore moins à ce qu'il m'avait semblé entendre.

Je suis allé devant le bureau du proviseur, déterminé à apprendre la vérité. Badaboum était là. Elle attendait aussi. Je me suis assis à côté d'elle sans un mot. Elle m'a demandé ce que je savais. J'ai haussé les épaules.

Ça a duré longtemps.

J'ai compté plusieurs fois le nombre de carreaux qui recouvraient le sol de la petite salle d'attente, j'en ai déduit la surface de la pièce en mètres carrés, son volume et le nombre de litres de peinture qu'il faudrait pour en recouvrir les murs qui en avaient grandement besoin.

– Mais cessez donc de vous ronger les ongles, Samuel !

J'ai sursauté et je me suis mis aussitôt à faire craquer mes doigts. J'ai senti qu'elle renonçait à m'en faire la remarque. J'ai levé les yeux vers elle. Plus le temps passait et plus elle devenait grise et sombre, presque fragile. Ça m'a pas rassuré. Je me suis dit que je préférais quand les choses étaient nettes, quand j'étais sûr qu'elle était indécrottablement ennuyeuse et méchante, debout devant son tableau noir.

Quand le proviseur est enfin sorti de son bureau, j'ai aussitôt compris que c'était grave. Il a froncé les sourcils en s'apercevant que j'étais là.

– Je n'ai pas de nouvelles, Samuel. Vous pouvez rejoindre votre classe. Louise est à l'hôpital, on prend soin d'elle, ne vous inquiétez pas.

– Mais...

Il m'a interrompu, agacé :

– Je vous en prie, Samuel, laissez-nous !

Je me suis levé, je l'ai regardé avec insistance et j'ai eu la certitude qu'il se recroquevillait derrière son silence.

Il a fini par baisser les yeux et il a marmonné :

– Allez rejoindre vos camarades, Wiegenstein.

– Mais...

Il a haussé le ton :

– Si vous pouviez pour une fois vous contenter d'obéir !

Jamais je n'avais vu Poirier s'énerver. J'ai ouvert la bouche plusieurs fois, cherchant mes mots. Badaboum a renchéri :

– Allez-y, Samuel… Obéissez…

J'ai fait quelques pas, tête baissée, et puis je me suis ravisé, lançant sans les regarder :

– J'étais là, monsieur Poirier, je suis venu vous chercher, j'ai vu les pompiers, je sais pas… je crois que… je comprends rien…

Poirier m'a rattrapé par le bras.

– Vous ne savez rien, rien de plus que moi, Louise a eu une hémorragie, c'est tout ce qu'on sait.

J'ai fini par tourner les talons.

– Il y a un truc qui cloche, je vous jure, je suis sûr qu'ils nous baladent…

On était tous posés à *L'Absinthe* depuis plus de trois heures et je répétais la même phrase en boucle et n'en démordais pas. Poirier avait menti, il avait fui mon regard, et même il transpirait, tout me semblait suspect. Les autres secouaient la tête, dans un sens et dans l'autre, incertains et surtout fatigués d'entendre la même rengaine qui ne menait à rien.

– Tu nous fais chier, Samuel, a fini par lâcher Thibaud. Je sais pas ce que tu cherches et tu sais quoi ? Je m'en fous ! C'est assez flippant comme ça, t'as pas besoin d'en rajouter !

– C'est vrai, quoi…, a enchaîné Marius. T'es parano sur ce coup-là, mec !

J'ai piqué du nez, furieux. Je déteste qu'on me parle sur ce ton, un tantinet condescendant, comme pour me ramener à ma juste mesure.

On n'a plus rien dit, on est restés les yeux rivés sur nos portables qui traînaient tous les quatre sur la table du bistrot. De temps en temps, on recevait un texto qu'on lisait illico, mais c'était jamais celui qu'on attendait. « Des nouvelles ? Alors ? C'est quoi l'histoire ? »

C'était celui de Mélina qui bipait le plus. Elle n'arrêtait pas de répéter la même chose, qu'elle ne savait rien, enfin rien de plus que les autres. Peut-être qu'on était en train de l'opérer, qu'elle n'était pas consciente... Elle a fini par appeler chez Louise, mais ça sonnait dans le vide... Si au moins on avait su dans quel hôpital...

– Putain, les mecs, y a Badaboum qui se dirige droit sur nous...

D'instinct, Thibaud s'était redressé sur son siège et on a fait comme lui avec cette impression, toujours, qu'elle va nous prendre en faute. Elle est entrée dans le café, aussi rouge et essoufflée que d'habitude. C'était bizarre, de la voir là, au café, sortie de son contexte, avec cet air tellement embarrassé.

Elle nous a jaugés du regard, cherchant auquel d'entre nous elle allait s'adresser. Ses yeux se sont arrêtés sur Mélina qui s'est enfoncée dans son siège.

– Mélina, j'ai pensé que vous... Sans doute, le mieux...

Badaboum ne finissant pas ses phrases, c'était du jamais vu !

Elle lui a tendu le sac de Louise, son blouson, son écharpe.

Elle les a pris, «merci», et avant qu'on puisse poser la moindre question, Badaboum a soudain repris, avec sa voix mordante :

– Au lieu de traîner dans les bistrots, vous feriez mieux de réviser vos maths ! Vous savez pourtant qu'avant les vacances, je fais toujours un contrôle ! Et que le bac, c'est pour la fin de l'année !

– Ouais, mais on s'était dit qu'entre les grèves et... le reste, vous seriez un peu humaine, pour une fois ! a lancé Marius en tentant un coup d'œil complice.

On a tous baissé les yeux en réprimant un sourire. Marius avait l'art de prononcer les mots qui fâchent, ça le dépasse et c'est plus fort que lui, il parle comme ça lui vient, incapable d'y mettre les formes. On était sûrs d'avoir un contrôle avec des trucs infaisables...

– Humaine...

– Il voulait dire compréhensive, m'dame, a enchaîné Thibaud. Il a raison, on n'a pas vraiment la tête à se concentrer là...

– Est-ce que vous m'avez déjà vue en trois ans annuler un contrôle ?

– Non…, a marmonné Thibaud.

Je ne la quittais pas des yeux. Et elle faisait tout pour éviter mon regard. Il y avait bien quelque chose qui clochait.

– Comment vous savez que Louise ne reviendra pas ? ai-je lancé soudain.

Elle a serré les dents.

– Mais je n'en sais rien, Samuel, c'est juste logique !

Sa voix virait dans les aigus. Elle s'est arrêtée comme pour reprendre son souffle et elle a enchaîné calmement :

– Elle est partie en ambulance, vous le savez comme moi, et après-demain nous sommes en vacances. Alors… voilà !

– Je ne vous crois pas.

J'ai cru qu'elle allait rétorquer quelque chose de cinglant, mais elle s'est juste contentée de détourner les yeux.

– Je compte sur vous, Mélina.

Et elle est sortie.

Thibaud a soupiré :

– On est sûrs d'avoir un contrôle de dingue demain, les gars.

– Moi, je crois que je vais manifester…

– T'as raison…

J'ai souri. Si Louise avait été là, elle se serait lancée dans un long discours sur la conscience, l'engagement et le sens de nos actes. Elle déteste les gens qui s'arrangent, qui font au plus confortable, juste pour faire comme les autres, se fondre dans la masse. Par exemple, elle défend toujours Bindenbaum, sa rigueur et son intégrité. Ça nous fait bondir à chaque fois qu'elle en parle mais, dans le fond, on l'admire d'avoir ses propres points de vue et de savoir les tenir contre l'avis des autres. C'est pour ça que ce matin, on était tous en maths. Juste à cause des arguments qu'elle avait su trouver. Et aussi de ses cheveux blonds et de son sourire charmeur.

C'était si grave que ça?

Ça s'est mis à sonner dans le sac de Louise. Mélina a sorti son téléphone: APPEL MANQUÉ STAN. Il y avait aussi plein d'appels en absence. On est restés quelques secondes à regarder son portable avec un air ahuri. Moi, j'ai senti que ma gorge se serrait. Mélina a rangé le téléphone en disant:

– Personne n'a prévenu Stan?

Non, personne ne l'avait prévenu.

Et puis soudain, j'ai vu Bouboule et, un peu plus loin, Stan qui se dirigeait vers nous. Il avait dû chercher à joindre Louise pour savoir où on était. Depuis qu'il avait été viré du lycée, un soir sur deux, il venait nous rejoindre au moment de la sortie.

Il est entré, le chien s'est jeté sur nous, on s'est jetés sur lui, on aurait dit quatre gamins en mal de câlins.

– C'est quoi, cette gueule que vous faites, vous avez vu la mort ou quoi ?

Stan n'était pas au courant. On l'a mis au parfum et il n'a plus rien dit. Bouboule est venu se blottir contre Mélina. Elle portait un pull de Louise et il adorait Louise…

Stan s'est tenu tranquille pendant cinq minutes, et puis il a commencé à jouer avec son portable. Enfin, il a lancé :

– Bon, les gars… on bouge ? Ça sert à rien de rester là, on dirait que… je sais pas, moi, ça fout le sum, votre histoire, si ça se trouve, c'est rien, quoi ?

J'ai vu l'œil de Thibaud s'allumer. Ça devait faire un moment qu'il rêvait de se tirer et n'osait pas nous le dire. Comme d'habitude, il suffisait que Stan apparaisse…

– T'as raison, mec, c'est à cause de Samuel, il nous prend la tête depuis tout à l'heure.

Marius s'était levé aussi. Je ne les ai même pas regardés. Je déteste Stan ; il passait son temps quand on était en classe à me chercher sur tout et rien… en m'humiliant un peu, sur ma taille et mon âge et mon père député…

Stan, en partant, a glissé sa main dans les cheveux de Mélina. J'ai vu que ça la faisait frissonner.

Les filles le trouvent délicat et parfois tendre aussi, quand il n'est pas cynique.

Je les ai suivis des yeux, tous les trois, avec le

chien qui se faufilait entre eux, déjà loin, ailleurs, s'évertuant à ne plus penser à rien.

Je me suis retrouvé face à Mélina et je suis reparti de plus belle dans mes suppositions. Elle a coupé court et m'a planté là. Ça n'avait pas d'intérêt de rester avec moi.

Et je suis resté seul avec mes pressentiments qui me nouaient le ventre.

Je n'ai pas compris ce que me disait Samuel, mais j'ai immédiatement supposé qu'il s'agissait d'une tentative de suicide, à cause du sang sous la porte. J'ai appelé le Samu avant même de monter à l'étage. Je suis réputé pour être pragmatique, mais je dois dire que, pour la première fois, malgré mes trente années de carrière, j'ai bel et bien perdu mon sang-froid.

Tandis que nous montions les escaliers quatre à quatre, j'ai pensé aux rues bloquées par les manifestants, au temps que mettraient les secours pour nous rejoindre et j'ai vraiment eu peur du tour qu'allaient prendre les événements. Mes mains se sont mises à trembler malgré moi, je n'étais pas sûr de pouvoir sauver la vie de qui que ce soit. La dernière fois qu'on m'avait fait des examens, je m'étais évanoui à la vue de mon propre sang. Je ne suis pourtant pas un peureux, j'en ai fait la preuve à maintes reprises dans ma vie. Mais il y a des choses qui sont plus fortes que la volonté ou la conscience morale et, pour moi, le sang en fait partie.

Je me rends compte à quel point il m'est difficile de parler, de penser, de revenir au moment précis où j'ai ouvert cette porte. Comme si je continuais malgré ce que j'ai vu à ne pas y croire vraiment. C'est la même sensation que laissent les cauchemars de la nuit au petit matin, un doute vite effacé sur la réalité de ce qui a été rêvé.

Sauf que rien n'effacera jamais cet enfant que j'ai vu sur le ventre de Louise Beaulieu.

Il y avait une bonne dizaine de jours que je me levais à quatre heures du matin pour tenter d'éviter d'éventuels débordements dus aux grèves. Je me retrouvais avant l'aube sur le trottoir avec une bande d'agités qui rassemblaient les poubelles du quartier pour organiser le blocage. Je tentais de maintenir un semblant d'ordre. J'avais réussi à ce qu'ils laissent passer les Terminale et les prépas qui souhaitaient se rendre en cours. Et Louise en faisait partie. Ce matin-là, je l'avais vue entrer dans l'établissement, je l'avais même saluée, elle riait au bras de son amie Mélina. Ce sont elles, je crois, qui avaient convaincu les garçons de leur petite bande, Thibaud, Marius, Romain, Samuel et un autre dont j'oublie toujours le prénom. Je les avais vus devant le café en train de parler avec virulence.

Louise avait l'air en pleine forme. Sans doute un peu pâle, c'est tout. C'était Louise Beaulieu, la même que d'habitude, la meilleure élève du lycée Olympe-de-Gouges. C'était réellement un jour comme un autre. Je me rends compte à quel point j'ai besoin de le dire et de le répéter, comme si je n'étais plus sûr de rien.

Quand on est arrivés devant les toilettes, j'ai dit à Samuel de rejoindre ses camarades de classe. J'ai fermé cette porte et je me suis approché.

J'ai d'abord vu sa main qui gisait inerte sur le sol et dans son sang. J'ai repoussé aussi loin que j'ai pu la panique que j'ai sentie monter, j'étais pris de vertiges, j'ai sorti le petit canif que j'ai toujours sur moi et je l'ai glissé dans le chambranle de la porte pour faire sauter le loquet. Je n'arrêtais pas de parler, de l'appeler, de lui dire de ne pas s'inquiéter, que je m'occupais de tout, je m'entendais respirer, souffler, mon cœur cognait dans ma poitrine, dans ma tête, mes mains tremblaient contre ma volonté. Il m'a fallu enlever la porte de ses gonds, le corps de Louise bloquait l'entrée. Je l'ai fait, je l'ai posée dans un coin, je me suis retourné et puis j'ai vu.

Cette petite chose qu'elle avait sur son ventre.

Un bébé.

Je me suis assis à côté d'eux. J'ai pris leur pouls. Ils étaient vivants. La mère et l'enfant. Louise avait dû s'évanouir. J'ai passé un peu d'eau sur son visage mais ça ne servait à rien. Je me sentais inutile. Je n'osais pas... Je me suis mis à pleurer. Et puis, j'ai pris l'enfant dans mes bras et je l'ai serré contre moi pour le réchauffer. J'ai entendu son cœur battre contre le mien. Je ne pensais plus à rien. Pendant quelques instants, la seule chose qui a compté, alors que j'étais assis par terre dans ces toilettes, les mains pleines de sang, c'est de sentir que cet enfant vivait.

Les pompiers m'ont demandé qui se chargeait de prévenir la famille. J'ai aussitôt rétorqué que je voulais bien le faire. Le type a cligné des yeux et hoché la tête. Je ne sais pas trop ce que ça voulait dire. Mais j'ai regretté de ne pas l'avoir laissé faire. Quand je me suis retrouvé dans mon bureau avec la main sur le téléphone, je me suis demandé quel genre de mots on pouvait trouver pour annoncer une nouvelle pareille.

Ceux des médecins auraient été les seuls qui convenaient. Aussi simples et impitoyables que la réalité.

COMPTE RENDU D'INTERVENTION DU SAMU

INTERVENANTS

Docteur Chamard Bruno, généraliste
Millault Alice, infirmière
Zignani Sophie, infirmière

Date : 20 octobre 2011
Lieu : lycée Olympe-de-Gouges
Heure d'appel : 10 h 04
Heure d'intervention : 11 h 42
Fin de l'intervention : 12 h 57

Nom du patient (e) : Louise Beaulieu
Date de naissance : 7 juillet 1993
Adresse : 398, rue des Couronnes Paris XIe
Groupe sanguin : A −

Toutes ces indications ont été fournies par la patiente durant son transfert à l'hôpital.

Nature de l'intervention : accouchement

Suite à l'appel du proviseur, nous nous rendons sur les lieux pour une tentative de suicide. Difficultés de circulation dues aux grèves. Nous trouvons la jeune fille sans connaissance.

Hypoglycémie : 2,2 mmol/L

A perdu beaucoup de sang

Transfusion sur place : 1 poche

Injection intraveineuse d'anticorps anti D

L'enfant, de sexe masculin, souffre d'hypothermie. Après les examens d'usage, nous constatons qu'il se porte bien. Il est à terme. Pèse 3,3 kg, mesure 48 cm. Premiers soins.

Oxygène : mère et enfant

Durant le transport, la jeune fille revient à elle. État de choc. Nous obtenons néanmoins les informations qui sont ci-dessus.

Selon toute apparence, il s'agit d'un <u>déni de grossesse</u>.

Prise en charge à Saint-Vincent-de-Paul par la réa en fin de matinée.

Le téléphone a sonné.

J'étais devant mon ordinateur, le nez en l'air, perdue dans mes pensées, perdue, c'est une façon de dire, je n'étais pas perdue, au contraire, je me souviens précisément à quoi j'étais occupée, c'est *après* que je me suis égarée et qu'a commencé la plongée en enfer.

Je regardais un oiseau qui s'était posé sur une branche juste au bord de ma fenêtre. Il était si près que, sans la vitre, j'aurais pu le toucher. J'ai retenu mon souffle, je suis restée immobile, quelle perception avait-il du monde autour de lui, *staccato*, un cri, sa tête, ça bouge, heurté, un cri, ça sautille, un cri, jaune serin, j'ai pensé, vert amande, noir sur le dos et sur le bout des ailes, *pouf, parti!* Je me suis promis de m'acheter un livre d'ornithologie, comme si de savoir le nom qu'on lui donne, ce qu'il mange et comment il vit pouvait résoudre le mystère de sa présence au monde.

C'est à ce moment-là que le téléphone a sonné.

J'ai aussitôt reconnu la voix du proviseur sans même qu'il ait eu besoin de se présenter.

– Quelle coïncidence, me suis-je écriée, j'avais justement l'intention de vous appeler !

Il a marqué un temps et puis il m'a demandé de quoi je voulais lui parler.

– En fait, je me suis dit qu'au bout de dix jours de blocage du lycée, vous aimeriez connaître le point de vue des représentants des parents d'élèves, enfin comment ils percevaient le mouvement…

J'étais d'humeur moqueuse. J'avais toujours trouvé que ce monsieur se prenait très au sérieux.

Il s'est raclé la gorge, a bafouillé quelques mots que je n'ai pas compris et il a murmuré :

– C'est pas le moment, madame Beaulieu, je vous appelle au sujet de votre fille.

– Louise ?

Je l'ai écouté parler. J'ai ri, oui, j'ai même éclaté de rire, j'ai pensé au gazouillis limpide de l'oiseau sur sa branche quelques instants plus tôt, *pouf parti !*, je l'ai pris pour un cinglé, menaçant de porter plainte avant de raccrocher.

J'ai rappelé aussitôt. Pour m'assurer que j'avais bien parlé au proviseur du lycée. Pas un instant je n'ai cru aux mots qu'il avait prononcés. À moins qu'il n'ait confondu Louise avec une autre fille…

Il a décroché aussitôt. Il m'a conjuré de l'écouter, m'invitant à m'asseoir, m'exhortant au calme. J'ai fait ce qu'il me demandait, brusquement inquiète de toutes ces précautions qu'il prenait. Il était arrivé quelque chose à Louise, je l'ai enfin compris, j'ai eu peur.

– Elle va bien ? Elle est où ?

Il m'a tout raconté, il m'a prise par la main, et m'a conduite doucement de la porte du lycée ce matin-là à l'aube jusqu'à ces toilettes où…

J'ai raccroché. Les mots m'avaient enfin atteinte.

Des coups de pioche dans la tête, du silence, du vide, rien.

Après, je ne sais plus, tout est plus incertain… Je suis dans ce canapé, hagarde, je vois bien ce que je devrais faire, ou plutôt ce que Mathilde Beaulieu aurait fait *à ma place*…

Je la vois qui se lève et enfile un manteau, elle prévient son mari, «Yannick ? », elle répète d'une voix blanche presque neutre, les mots qu'elle vient d'entendre, ils se donnent rendez-vous devant l'hôpital, elle raccroche, se demande si elle prend sa voiture, à cette heure, avec les grèves, elle se résout aux transports en commun qu'elle exècre pourtant, c'est plus logique, se dit-elle, plus efficace et rapide, elle vérifie qu'elle a ses clefs, ses papiers, sur le pas de sa porte, sans jeter un regard derrière elle, elle pense à son fils Ulysse qui va l'attendre à la sortie de l'école et, tout en marchant sur le trottoir d'un pas sûr et cadencé, elle prévient son amie, *sa fille, oui, à l'hôpital, non elle ne sait pas pourquoi*, son amie sera là, à quatre heures devant l'école, Ulysse peut même dormir chez elle… Elle raccroche et s'engouffre dans le métro. Comme si tout, déjà, était rentré dans l'ordre.

Et moi… moi je suis toujours dans ce canapé, *comment prévenir Yannick?*, je ne veux rien dire, ne veux pas de ces mots-là, comme si *ça* n'existait toujours pas, je me lève, je vais fermer les volets – j'ai pensé à ces gens qui recouvrent les miroirs, arrêtent les pendules, se changent pour ne porter que du n oir – tous les volets de la maison, j'appelle Yannick, je tombe sur sa secrétaire, il est en réunion, *qu'il rentre le plus vite possible c'est grave*, raccroche, débranche le téléphone, entre dans la chambre de Louise, fouille partout, dans ses vêtements, sur son bureau, dans ses tiroirs, je cherche quelque chose mais quoi?, remets tout en place, allongée dans son lit, blottie en boule, j'ai fermé les yeux comme on tire un rideau et me suis endormie.

En arrivant à l'hôpital, on a été immédiatement reçus par le chef de service, Stefano Conti. C'était un grand homme sec, au visage émacié et ridé, portant des sourcils épais qui assombrissaient son regard. D'une voix glaciale, il nous a invités à nous asseoir.
    – Votre fille va bien, a-t-il dit en regardant les notes

qu'il avait devant lui. Tout s'est bien passé… compte tenu des circonstances. Nous avons effectué tous les examens nécessaires, il n'y aura pas de séquelles… Je veux dire que votre fille pourra avoir d'autres enfants quand elle le souhaitera.

On était là, devant lui, hagards, sidérés, incapables de donner corps aux mots qu'il était en train de prononcer.

Le silence a duré. J'ai eu l'impression que ça l'agaçait. Il a soupiré :

– Je suppose que vous avez déjà entendu parler du déni de grossesse.

On a opiné.

Le silence est tombé. Et puis j'ai protesté, comme si c'était de sa faute :

– Mais elle prenait la pilule, elle avait ses règles tous les mois.

Il s'est contenté de hausser les épaules.

J'ai poursuivi :

– Elle a toujours eu des règles irrégulières et très douloureuses, alors je l'ai emmenée voir mon gynécologue qui lui a conseillé de prendre cette minipilule.

– Elle a un petit copain ?

– Je ne sais pas, je ne crois pas… enfin, elle ne m'en a jamais parlé.

Et j'ai éclaté en sanglots.

Yannick a pris le mouchoir que le médecin lui tendait. Il lui a jeté un drôle de regard, méfiant, comme si le monde autour de lui était devenu complètement dingue. Comme s'il attendait juste que la plaisanterie prenne fin.

– Calme-toi Mathilde, je t'en supplie, tout va bien...

Tout va bien...

Je l'ai vu sursauter. Il venait de réaliser. Jusque-là, il n'avait pu y croire. Comme si nous aussi, on faisait un déni. J'ai vu un frisson, comme un tremblement de terre, le traverser tout entier.

Le médecin a attendu que je me ressaisisse et il a repris :

– Il va falloir aider votre fille, parce que c'est très dur pour elle... Aujourd'hui, j'ai fait quatre fois l'aller-retour entre la nursery et la chambre de Louise. Elle est restée si menue que c'est très surprenant, même pour nous qui sommes pourtant des professionnels. D'autant que le bébé pèse trois kilos trois cents et mesure quarante-huit centimètres.

C'était la première fois depuis le début de l'entretien qu'il évoquait l'enfant.

– Je n'ai pas encore eu l'occasion d'en parler avec Louise. Elle est en état de choc et nous l'avons mise sous calmant. Pour le moment et jusqu'à demain matin, elle dort. L'enfant, un petit garçon, est à la nursery. Louise a quelques jours pour prendre une décision. Mais nous comptons, au vu des circonstances, la garder ici plus longtemps, si nécessaire.

– Une décision ?

– Un accouchement sous X, donc l'abandon de ses droits en vue d'une adoption. Ou le contraire, le choix d'élever son enfant.

– Mais il est hors de question qu'elle élève ce bébé. Elle est brillante à l'école, elle veut faire des études… C'est une évidence, elle ne voulait pas de cet enfant, son corps a parlé pour elle !

C'était un cri du cœur, Yannick a murmuré :

– C'est à elle de décider, Mathilde, il ne faut pas qu'on s'en mêle !

– Mais t'es complètement fou… Qu'est-ce que tu veux qu'on fasse de ce…?

Le médecin a coupé court.

– Voilà, j'ai préparé les papiers qui expliquent la procédure à tenir en vue d'une décision d'un accouchement sous X. En gros, ce sont les articles de loi, tirés du Code civil. Je voulais juste ajouter, chère madame, que légalement, c'est à votre fille, et à votre fille uniquement que revient cette décision. Louise est dans une chambre seule, numéro 434. Je vous conduis.

Dans les couloirs, des mères tenaient leur bébé dans leurs bras. Je sentais mes jambes se dérober sous moi.

– Je vais vous laisser là. Demain, une assistante sociale va venir voir Louise. Je pense qu'il vaut mieux que vous soyez avec elle. Vous pouvez m'appeler quand vous voulez si vous avez des points à éclaircir.

Et il a tourné les talons, nous laissant seuls devant la porte close.

Louise dormait, paisible, un peu pâle, ma fille, ma petite, la même que j'avais regardée partir de la fenêtre ce matin pour se rendre à l'école. J'avais beau me raisonner, je n'arrivais pas à y croire. Yannick se tenait derrière moi, lointain, silencieux. On n'osait pas se regarder. Je me suis remise à pleurer, doucement. Yannick m'a prise dans ses bras. Je suis sortie de la chambre à contrecœur.

Extraits du Code civil

Article 326 du Code civil français
Lors de l'accouchement, la mère peut demander que le secret de son admission et de son identité soit préservé.

Article L.222-6 du Code de l'action sociale et des familles
Toute femme qui demande, lors de son accouchement, la préservation du secret de son admission et de son identité par un établissement de santé est informée des conséquences juridiques de cette demande et de l'importance pour toute personne de connaître ses origines et son histoire. Elle est donc invitée à laisser, si elle l'accepte, des renseignements sur sa santé et celle du père, les origines de l'enfant et les circonstances de la naissance, ainsi que, sous pli fermé, son identité.
Elle est informée de la possibilité qu'elle a de lever à tout moment le secret de son identité et, qu'à défaut, son identité ne pourra être communiquée que dans les conditions prévues à l'article L. 147-6. […]
<u>**Une mineure peut accoucher de manière anonyme (anciennement dit « accouchement sous X ») (art. 326 du Code civil et L.222-6 du Code de l'action**</u>

sociale et des familles) et confier son enfant à l'Aide sociale à l'enfance en vue d'une adoption. Elle est la seule habilitée à demander que soit préservé le secret de son identité lors d'un accouchement.

Sur leur demande ou avec leur accord, les femmes mentionnées au premier alinéa bénéficient d'un accompagnement psychologique et social de la part du service de l'Aide sociale à l'enfance.

Pour l'application des deux premiers alinéas, aucune pièce d'identité n'est exigée et il n'est procédé à aucune enquête.

Article 348-3 du Code civil français

Le consentement à l'adoption peut être rétracté pendant deux mois. La rétractation doit être faite par lettre recommandée avec demande d'avis de réception adressée à la personne ou au service qui a reçu le consentement à l'adoption. La remise de l'enfant à ses parents sur demande même verbale, vaut également preuve de la rétractation.

La nuit était tombée.

Mathilde était restée là-bas. Elle avait décidé d'acheter un petit nécessaire de toilette et une chemise de nuit à Louise; j'avais senti qu'elle avait besoin de faire quelque chose pour elle. Moi, j'étais rentré pour m'occuper d'Ulysse. Sur le chemin du retour, j'avais élaboré une version acceptable de ce qui venait d'arriver, quelque chose à répondre aux questions qu'on poserait, et plus j'élaborais mon histoire et mieux je me sentais. Comme si je m'étais mis à croire à mes propres mensonges.

Ulysse était assis au milieu du salon et jouait avec son bateau de pirates. Julie avait préparé à manger. Il faisait chaud, tout était si paisible... J'ai remercié Julie d'être venue si vite et puis je me suis lancé: «une hémorragie dont on ne connaissait pas encore la cause exacte... À l'hôpital Cochin au moins pour une semaine»... On s'est organisés pour les jours à venir, elle s'est même proposée pour prendre Ulysse pendant les vacances, «Thomas serait tellement content»! Mon fils qui semblait totalement pris par un combat avec un crocodile, poussant des cris sauvages qui couvraient le bruit de nos voix, a aussitôt jeté son Playmobil par-dessus bord et s'est pendu à mon cou, «dis oui, papa, dis oui, s'te plaîîîîîîîît!» Je l'ai serré dans mes bras en riant.

– Il faut qu'on en parle avec maman, mais je pense qu'elle sera d'accord!

Il a hurlé de joie et a fait trois fois le tour du salon en courant.

Et puis Julie est partie et on s'est retrouvés tous les deux.

Je lui ai proposé de dîner devant la télé. Il a fait la grimace. J'ai promis qu'on ne dirait rien à maman, que c'était exceptionnel, «une soirée entre garçons»! J'ai tenté de l'amadouer en brandissant son DVD favori, les Barbapapa, mais il n'y a rien eu à faire, il était devenu grognon et capricieux à la minute même où Julie avait passé le pas de la porte. J'ai senti ma gorge se serrer, je devais lui parler, lui mentir; il s'était planté devant moi, ne me quittait pas des yeux, il avait un regard tellement limpide et impitoyable en même temps.

– Ça va papa?

Il m'a pris la main, l'a serrée très fort, je n'ai pas pu résister, je me suis effondré aussitôt, incapable de tricher, on s'est assis sur le canapé et je me suis mis à pleurer. Il était blotti contre moi, un pouce dans la bouche. Ça a duré un moment, j'essayais de me calmer, je n'y arrivais pas, au milieu de mes sanglots, je lui disais en hoquetant de ne pas s'inquiéter, «ça va, ça va aller… je te jure… excuse-moi… c'est ridicule»… Et puis ça a cessé. Je me suis mouché, j'ai respiré profondément et je l'ai regardé dans les yeux.

– C'est Louise, tu sais. Elle a beaucoup saigné et on sait pas pourquoi. Alors, les docteurs ont dit qu'il fallait qu'elle reste un moment à l'hôpital pour qu'ils la soignent. Ça va aller, elle va guérir, ça va aller.

– Elle a saigné?

– Oui.

– Et les docteurs, ils la soignent?

– Oui, c'est ça. Et après ça va aller.

– Je peux aller la voir?

– Non, mon bibou, pas tout de suite. Mais elle va revenir vite. Et si tu veux, tu lui fais un dessin et je lui apporte demain.

Il a marqué un temps.

– Elle a saigné du nez?

Ma gorge s'est à nouveau serrée.

– Oui, je crois.

– Beaucoup.

– Oui.

– Je vais lui faire un dessin.

– C'est ça, mon bibou, fais-lui un dessin, mais d'abord on va manger et puis après tu dessines et après je te lis une histoire et puis tu vas dormir, d'accord?

– OK! Dis... tu mets quand même les Barbapapa?

J'ai mis le DVD, servi la purée-jambon-gruyère dans deux assiettes creuses avec deux verres de Coca Light et on a crié «BARBADRUK!» en chœur chaque fois que le papa apparaissait à l'écran.

Pendant que je faisais la vaisselle, il a cherché tout seul son pot à feutres et il s'est mis à dessiner sur la table de la cuisine. Je ne pensais plus à rien. Le téléphone a sonné. Mathilde avait décidé de passer la nuit là-bas. Je lui ai passé Ulysse. Il a raccroché sans un mot et il a continué son dessin.

Je m'apprêtais à lui dire qu'il était temps d'aller se coucher quand on a sonné à la porte du jardin. J'aurais donné n'importe quoi pour ne pas répondre, je me sentais à bout de force. Ulysse s'était précipité à la fenêtre. Je l'ai suivi. C'était Mélina et Mary Lou, j'avais complètement oublié les messages que j'avais pourtant écoutés. J'ai ouvert la porte mais je ne les ai pas fait entrer. À leurs regards, j'ai compris que j'avais encore des traces des larmes que j'avais versées. J'ai prononcé les mots qu'il fallait, la même histoire qu'aux autres, je manquais totalement de conviction. Elles étaient trop polies pour m'en faire la remarque. J'ai promis de les tenir au courant et j'ai refermé la porte sans un regard pour leurs sil-houettes interloquées disparaissant dans la nuit. La vérité, c'était que je les détestais contre toute logique pour ce qui était arrivé à Louise. *Pourquoi elle, pourquoi ma fille à moi ?* J'ai posé ma tête contre le mur, j'ai repris un bol d'air et j'ai rejoint Ulysse dans le salon.

Il m'a tendu son dessin. C'était un dessin comme il en avait fait des centaines, papa, maman, sa grande sœur et lui. Louise le tenait par la main, elle avait un visage en forme de fleur et un gros cœur au-dessus de sa tête. Je l'ai trouvé très beau, je l'ai plié en quatre, glissé dans une enveloppe et j'ai promis de le lui apporter demain. Ensuite, on a lu une histoire, je suis resté avec lui jusqu'à ce qu'il s'endorme et je suis redescendu.

Je me suis versé un whisky, que j'ai bu d'une traite, j'en ai versé un autre et je suis allé m'asseoir. J'en voulais à Mathilde de ne pas rentrer, j'avais tellement besoin de parler avec elle... Le souvenir d'une nuit sans elle remontait à si loin. Je me suis mis à chercher dans mes souvenirs, j'aurais mieux fait d'aller me coucher avec un somnifère, c'est ce que j'avais de mieux à faire, je le savais mais je n'y arrivais pas.

La dernière fois que j'avais dormi seul... oui, c'était il y a six ans, à la naissance d'Ulysse. Quelques jours avec Louise, elle venait d'avoir onze ans. Pour un peu, j'aurais ressorti l'album de photos mais je n'osais pas faire un geste, résolument plongé dans ces souvenirs si doux, si vifs qui m'éloignaient de la réalité.

Elle avait été tellement heureuse de la naissance de ce petit frère inattendu, aussitôt proche de lui, tellement maternelle. Je me suis versé un autre verre de whisky, je ne voyais plus très clair et c'était bien comme ça. Les images défilaient devant mes yeux, dans le désordre, lumineuses, pleines d'insouciance et d'un bonheur facile, confortable que je rassemblais autour de moi comme des épaves que j'avais peur de perdre aussi, j'avais froid, j'étais seul, *pourquoi elle, pourquoi ma fille à moi?* On leur avait toujours dit avec Mathilde qu'ils étaient des enfants-accidents, *le plus beau des hasards*, mais des hasards quand même... Était-ce ça qui nous rattrapait aujourd'hui? Quelques mots malheureux et toute une vie qui s'écroule?

L'instant d'après, pour moi, c'est l'instant d'après...

Je suis seule dans cette chambre où tu n'es pas. Seule dans mon corps, seule dans ma tête et pourtant nous sommes deux. Tu dors sans doute un peu plus loin, ailleurs, je ne le sais pas, je ne sais pas encore que tu existes, je suis fatiguée, ma tête est lourde, je sens que je saigne, j'ai mal au ventre, je dors et puis j'ouvre les yeux parfois, je ne reconnais rien, je suis dans une chambre d'hôpital, j'ai oublié pourquoi, je ne veux pas y penser. Un visage inconnu au-dessus de moi. Une femme. Elle s'occupe de changer la bouteille au-dessus de ma tête, j'ai une aiguille dans le bras. Elle sort. Elle ne m'a pas regardée. Je suis à nouveau seule. Quelques images qui reviennent en vrac. Les toilettes au lycée, la douleur, l'ambulance, les questions du médecin, les mots qu'il a prononcés, je ne comprends rien, je ne veux pas comprendre. Je ferme les yeux. J'ai peur.

J'avais mis le réveil à cinq heures du mat. Et comme un bon réveil, il a sonné à l'heure sauf que, moi, entre-temps, j'avais oublié pourquoi je voulais absolument me lever si tôt. J'étais rentré très tard, bien au-delà de minuit, les idées brouillées par la soirée chez Stan, un peu glauque j'ai trouvé, on était trois, puis quatre, on n'avait pas la pêche, on a bu un peu, fumé aussi, mais pas trop, et je ne sais pas pourquoi mais ça m'a cassé tout de suite, j'étais saoul en deux-deux, et triste, effroyablement triste, Stan s'est foutu de ma gueule, j'ai pas aimé, il est trop chiant, des fois, à pas vouloir comprendre, on pensait tous à Louise, même si on n'en a pas parlé… De toute façon, il n'y avait rien à dire… Je crois bien que j'ai fini par me fâcher, ça l'a fait rire, j'ai dû rire avec lui, je ne suis pas rancunier, je me suis levé, je suis sorti et j'ai chopé un taxi qu'a refusé de me prendre, il avait peur que je salisse son siège et il a eu raison, j'ai vomi juste après, dans la rue, comme un con… En général, c'est dans ces moments-là que je prends des grandes résolutions. Le pire, c'est que j'y crois dur comme fer, ça m'a conduit jusque chez moi, devant mon réveil que j'ai mis à cinq heures dans la ferme intention d'aller aider ceux qui depuis dix jours organisent le blocus au lycée. Quand j'ai ouvert un œil, ça tapait dans mon crâne, je me suis vu dehors à chercher des poubelles pour en faire des barricades, écrire des slogans sur des draps, et crier contre une réforme que je n'avais même pas lue et qui serait votée le jour même au Sénat. Non, décidément, ça n'était pas pour moi…

Je me suis rendormi…

Pas longtemps, pas assez, il faisait encore nuit et les coups dans ma tête faisaient affreusement mal… J'avais encore le temps de me pointer au lycée et de faire le contrôle, mais j'avais rien compris, rien écouté, et pas bossé du tout… Je me suis retourné dans un sens et dans l'autre, à la recherche du sommeil, oublier, ne plus penser à rien, ce soir, c'est les vacances, *ça sert à rien de me prendre la tête*, je me répétais… mais j'y suis pas arrivé, ça se décide pas en fait, j'arrêtais pas d'y penser, Louise… encore elle… J'avais pourtant tout fait pour essayer de l'oublier, j'ai enchaîné les histoires, une meuf après l'autre, jamais longtemps, je les trouve toutes teubé, à me courir après, enfin pas teubé, je sais pas comment dire, j'y arrive pas, quoi, je compare, *je m'en fous, je m'en fous, je m'en fous*…

J'ai regardé mon portable, pas de message de Mélina, j'ai quand même envoyé un point d'interrogation, je me suis dit qu'elle comprendrait… Les mots, c'est pas mon fort, surtout quand ça tape dans ma tête… j'ai fini par me traîner jusque dans la salle de bains pour avaler une aspirine, et je suis retourné me coucher, j'ai mis mon casque sur les oreilles, un peu de musique, impossible aussi… faut juste patienter… juste attendre, ça va passer, comme le reste… J'avais aucune envie de me laisser avoir par des idées noires, des fois, ça me prend, et ça me fait pas du bien, « bilans et perspectives », comme dit ma mère… J'ai cherché des images au fond de moi pour arrêter de tourner en rond, j'aime bien imaginer des trucs, là, je me suis vu arriver dans la chambre de Louise avec un bouquet de fleurs… Les mêmes rêves idiots qu'avant… En fait, la vérité, c'est que ça n'a pas duré des mois, exactement cinq semaines et six jours… Mais comme j'en rêvais depuis la Sixième et que j'en rêve encore, j'ai le droit de me dire que ça a duré plus longtemps… Elle m'a juste dit qu'elle n'était pas amoureuse, que ça ne se commandait pas, elle m'aimait bien tralala, voulait me garder comme ami… J'ai refusé de penser que je l'avais bien cherché. *Bla-bla-bla*, j'ai répondu, je serai ton ami, et je suis son ami, autant que je peux l'être… parce que voilà, il lui arrive je sais pas quoi, elle disparaît, et *pfitt*, plus de nouvelles de Louise, mystérieuse, insaisissable, l'intouchable Louise… *Faut que je me lève, que je me douche et que je mange, voilà tout…* et je suis resté au lit… Quand c'est comme ça, j'en veux à mes darons qui dorment sur leurs deux oreilles six étages plus bas, qui n'ont plus besoin de se lever depuis qu'ils sont à la retraite, quand ils m'ont proposé la chambre de bonne en septembre, j'ai sauté au plafond, je pourrai faire ce que je veux, j'ai pensé, et c'est ça qui est arrivé, sauf qu'en vrai, ce que je veux, j'en sais rien, et que je fais pas grand-chose, je mens, j'arrête pas de leur mentir, ils me croient ou font semblant de me croire, ils doivent continuer à recevoir mes relevés d'absence mais j'en n'entends plus parler, ils ont confiance en moi, qu'ils arrêtent pas de me dire, ça m'arrange, ça les arrange aussi, alors pas question que ça change, mais là, j'aurais aimé qu'elle vienne, ma mère et.. quoi, qu'est-ce qu'elle aurait compris, j'aurais rien dit, j'ai jamais rien raconté, j'ai jamais fait confiance à personne, à Louise, je crois, j'aurais pu… dans mes rêves en tout cas…

Stefano Conti, obstétricien. 6

Je me suis garé sur le parking de l'hôpital avec ce petit quart d'heure d'avance que je m'octroie toujours pour aller boire un petit noir au troquet d'en face. Le patron me voit traverser la rue et, quand j'entre, mon café est déjà sur le comptoir. Ce sont de petites attentions qui m'enchantent... C'est à ce moment-là que je quitte la peau de Stefano pour devenir le professeur Conti. J'ai fait le point sur la journée qui m'attendait et le week-end aussi puisque j'étais de garde jusqu'au dimanche matin. Quatre accouchements programmés, dont un assez compliqué, une césarienne à cause de deux énormes fibromes, je ne sais pas trop ce que je vais découvrir, il faudra que je passe aussi revoir le prématuré, et surtout s'occuper du *déni*, mobiliser l'équipe, je sens que ça ne va pas être simple, ça met toujours tout le monde en vrac, ce genre d'histoire, et trois jours ou presque, c'est si court pour prendre des décisions quand on n'a rien vu venir pendant neuf mois...

Je ne me suis pas trompé, ça n'a pas été une réunion de service sereine. L'équipe m'a parlé des bébés, de leurs mères, des sorties, des gens qui étaient de garde, des vacances d'été, j'attendais, je me disais qu'après tout le travail que j'avais tenté de mettre en place, d'accueil, je l'ai appelé comme ça, de ces mères en difficulté, on n'avait pas avancé, et je me suis énervé :

– Et la chambre 434, on en est où ?

Long silence.

Nourah, l'infirmière a fait un compte rendu assez bref de la nuit et Josyane a dit que le bébé se portait bien. Je me suis tourné vers Élise, la psychologue.

– J'ai prévenu Jeanne, on doit y aller toutes les deux dans la matinée…

Jeanne, c'est l'assistante sociale, une femme débordée d'une manière générale et en particulier quand ce qu'elle doit faire la dérange. J'ai enchaîné d'un ton plus sec que je ne l'aurais voulu :

– On a une idée de l'heure à laquelle elle compte se présenter ?

Élise a hoché la tête, gênée. Toutes les autres fixaient avec intensité le bout de leurs chaussures. J'ai eu l'impression d'être devant une bande de gamines prises en faute et ça a fini de me mettre hors de moi.

– Je comprends pas, on a passé des heures à parler de ces situations difficiles, on a établi un protocole d'accueil, vous avez bénéficié d'une formation… Et à la première difficulté, il n'y en a pas une pour prendre le taureau par les cornes... Notre rôle, c'est de l'accompagner, elle et cet enfant, quel que soit son choix !

Long silence.

Josyane a marmonné :

– C'est pas nous qui avons décidé de la mettre sous sédatif. Elle dort depuis qu'elle est arrivée, qu'est-ce que vous voulez qu'on fasse ?

– Parler avec ses parents, par exemple...

– Je crois que la mère est allée à l'hôtel à côté !

– Personne ne leur a proposé de dormir ici ?

Je n'ai pas obtenu de réponse. J'ai soupiré très fort pour que tout le monde m'entende, j'essayais de contrôler ma colère, sachant que ce n'était pas le moment et que ça risquait surtout de rendre la situation encore plus difficile.

Élise s'est tournée vers moi.

– Et cette jeune fille, alors, comment s'appelle-t-elle ?

J'ai sursauté tant sa question m'a pris au dépourvu. Elle avait touché juste, Élise, comme d'habitude, toujours fine, calme, un peu distante, elle avait parfaitement raison, j'avais complètement oublié son nom. En somme, avec ces histoires de déni, on fait tous la même chose, chacun à notre manière...

Nourah est venue à mon secours :

– Louise Beaulieu.

L'atmosphère s'est détendue. Peut-être que ça les

soulageait de se rendre compte que le patron n'était pas infaillible, ou alors d'entendre le nom de cette fille, ça l'a brusquement rendue réelle…

– J'ai reçu ses parents hier, je crois qu'il faut les associer à notre rendez-vous ce matin…

Élise a eu l'air d'accord, mais on n'a pas eu le temps de poursuivre plus loin. La porte s'est ouverte dans notre dos, on s'est tous retournés, Louise Beaulieu était là, accrochée à sa perf, l'air totalement hagarde.

– Mais qu'est-ce qu'elle fait là ?

Elle nous regardait comme elle aurait regardé des fantômes, pas vraiment paniquée, comme si elle était sûre de flotter entre sommeil et rêve, dans un cauchemar dont elle allait bientôt se réveiller.

Nourah s'est précipitée vers elle pour la raccompagner dans sa chambre. Elle avait sans doute mal évalué les doses de calmants. Je me suis levé pour les suivre, je me sentais coupable… Il fallait la soutenir, lui parler, ne plus la laisser seule… et arrêter les calmants !

Elle avançait doucement entre Nourah et moi, habillée d'une chemise de nuit, d'un tricot en laine et chaussée d'une paire de pantoufles. Je lui ai demandé où elle avait trouvé ça.

– Dans ma chambre…

– Je crois que c'est ta mère qui les a laissés hier soir, a affirmé Nourah.

Elle a relevé la tête, étonnée.

– Ma mère est venue me voir ? Elle sait où je suis ?

Elle avait l'air doucement de sortir de ses nuages. J'ai rétorqué calmement :

– Oui, bien sûr, et ton père aussi, ils sont venus hier pendant que tu dormais...

On était arrivés devant la nursery. Louise s'est arrêtée devant. J'ai cru qu'elle allait enfin poser la question qu'on attendait tous, mais son regard s'est durci, son visage s'est fermé et elle a repris sa marche, à petits pas, on n'y était pas encore. J'ai senti que Nourah perdait un peu de ses certitudes, elle l'a prise par le bras et on est arrivés enfin chambre 434.

D'une voix résolument guillerette, Nourah lui a lancé :

– Tu veux qu'on fasse un peu de toilette ?

Louise a haussé les épaules, ça lui était égal. J'étais resté sur le seuil de la porte. Juste avant de m'en aller, j'ai fini par lui dire :

– On attend tes parents. Dès qu'ils sont là, on revient, il faut qu'on se parle, tu crois pas ?

Elle a eu de nouveau ce geste des épaules, pas contrariante, obéissante. Comme si elle n'était pas tout à fait là ; j'ai repensé au regard de son père la veille, cette impression que le monde autour de lui ne tournait plus tout à fait rond, c'était exactement la même manière de se défendre contre une réalité impossible à penser.

J'avais décidé de rester dans le couloir pour attendre les parents de Louise. Je ne voulais pas risquer qu'ils entrent seuls dans la chambre et provoquent une crise avant qu'on ait eu le temps de poser les choses calmement. J'étais un peu nerveuse, je l'avoue. En sortant de la réunion de service et en attendant Jeanne, j'étais allée voir le bébé.

Je n'ai eu aucun mal à le trouver. C'était le seul qui portait des vêtements de l'hôpital. Et puis, à la place de son prénom, il y avait encore un point d'interrogation, Josyane avait écrit le prénom et le nom de sa mère ainsi que le numéro de sa chambre. C'était tout. Ça m'a fait frissonner. Il était rond, tout rose, et avait des cheveux drus et noirs comme le jais. Je l'ai caressé un peu, il a ouvert les yeux, je l'ai pris dans mes bras. Je lui ai expliqué comment il était venu au monde, *une énorme surprise*, et je lui ai raconté que sa maman n'avait pas pu l'attendre, qu'elle ne savait pas qu'elle allait le mettre au monde. « Il faut lui laisser un peu de temps, tu sais. » Je lui ai aussi promis de trouver une solution pour lui.

Il a ouvert les yeux, s'est agité un peu en chouinant, et il s'est rendormi brutalement dans mes bras. Je l'ai reposé dans son petit berceau en pensant qu'il faisait comme sa mère, se réfugier dans le sommeil. En attendant.

Jeanne est enfin apparue. On a consulté ensemble le compte rendu du Samu. Il y avait peu d'infos. Elle était lycéenne en Terminale S. Elle devait tenir à ses études et ses parents aussi…

Il était près de dix heures quand ils sont apparus au fond du couloir. J'ai aussitôt compris que c'étaient eux. Sobres, élégants et cet air triste et complètement perdu.

Je me suis présentée. Je leur ai expliqué qu'on allait voir leur fille pour mettre des mots sur ce qui lui était arrivé et quelles étaient les possibilités qu'elle avait devant elle. J'ai poursuivi :

– Ce n'est pas un choix facile, pour elle, ai-je poursuivi, il va falloir garder votre calme et la soutenir. Vous pouvez compter sur moi et sur toute l'équipe.

Ils ont hoché la tête, j'ai trouvé qu'ils avaient l'air solides et ça m'a rassurée.

Jeanne leur a serré la main en se contentant de décliner sa fonction.

On était arrivés devant la chambre 434. Je me

suis écartée pour les laisser entrer en premier. Mme Beaulieu s'est précipitée sur sa fille dont le visage s'était illuminé en voyant sa mère apparaître.

– Maman, papa...

– Ma chérie....

Elle l'a serrée dans ses bras. Son père l'a l'embrassée sur le front. J'ai remarqué qu'il tremblait.

Louise ne me quittait pas des yeux. C'était une jeune fille magnifique, avec une tête d'ange aux traits fins, de grands yeux clairs et des lèvres charnues. J'ai pensé au bébé, il avait manifestement les cheveux de son père...

Je me suis présentée et puis je me suis lancée, j'avais décidé de parler longuement, le plus longtemps possible, comme pour combler le vide dans lequel elle devait se trouver :

– Je m'appelle Élise et je suis psychologue dans ce service de maternité. Je m'occupe des mamans et de leurs bébés, le temps qu'ils restent chez nous.

Son beau visage s'est figé, il est devenu totalement neutre, comme de la pierre, il était impossible de deviner ce qu'elle sentait, sans doute rien, je me suis dit, comme la pierre.

– Tu as été admise hier dans ce service, tu es venue en ambulance de ton lycée, tu te souviens ?

Je venais de faire exactement l'inverse de ce que je m'étais promis, lui poser des questions, il s'est passé ce que j'avais imaginé, elle n'a rien répondu, même pas hoché la tête. Il fallait que je le dise…

– Il t'est arrivé ce qu'on appelle un déni de grossesse. Tu étais enceinte, mais rien ne pouvait te le laisser supposer. On voit tous que tu n'as pas pris un gramme. Et hier, tu as mis cet enfant au monde. Il pèse trois kilos trois cents et mesure quarante-huit centimètres. C'est un beau bébé et il est en pleine forme.

J'ai marqué une pause, il ne se passait toujours rien. J'ai repris :

– Je t'ai croisée ce matin pendant la réunion de service avec tout le personnel. Tu avais l'air perdue, je sais que c'est à cause des calmants qu'on t'a administrés depuis ton arrivée car tu étais en état de choc. Tu as beaucoup dormi et ton bébé aussi. Je suis allée le voir tout à l'heure et je lui ai expliqué comment il était né et pourquoi il n'était pas avec sa maman. Et tu vois, il a fait comme toi, il s'est rendormi…

J'ai entendu Mme Beaulieu retenir un sanglot. Je me suis tournée, elle était en larmes, son mari, livide, l'a prise dans ses bras. Louise a semblé sortir de sa torpeur ; j'ai vu passer quelque chose dans son regard, j'ai cru qu'elle allait se mettre à parler mais c'était sans doute encore trop tôt, alors j'ai poursuivi :

– C'est difficile de l'admettre, c'est difficile pour toi, pour tes parents mais pour nous aussi, tu sais, même si c'est notre métier, c'est tellement étrange ce que notre inconscient impose parfois à notre corps. Tu avais tes règles?

Elle a enfin bougé, plongeant son visage dans ses mains, c'était impossible de savoir si elle se cachait, ou refusait de continuer, ou si elle allait se mettre à pleurer. Elle a marmonné quelques mots qu'on n'a pas entendus. Je n'ai pas osé lui demander de répéter. C'est Jeanne qui a pris la parole, d'une voix ferme et froide:

– On n'a pas entendu... Est-ce que tu pourrais répéter?

C'était comme un vent glacé qui passait dans la pièce. Ça l'a fait sursauter, elle a enlevé les mains de son visage, elle m'a regardée droit dans les yeux et, comme pour me défier, elle a lancé:

– ... Je... n'ai jamais eu...

Elle a marqué un temps comme soudain rattrapée par la gêne de le dire à voix haute:

– ... de relations sexuelles.

J'avoue que je suis restée quelques secondes en suspens, prise de vertige devant le vide qui s'était encore creusé. Pourquoi avait-elle besoin de rajouter du mensonge au déni?

– Tu ne veux rien nous dire... tu ne te souviens pas?

– Arrêtez de me parler sur ce ton, comme si j'étais débile! JE-N'AI-JA-MAIS-COU-CHÉ-A-VEC-PER-SON-NE! Vous avez compris ce que je dis?

Elle avait hurlé, elle était devenue rouge, les mains crispées sur ses draps. Il aurait fallu tellement de temps pour apprendre à se connaître et j'en avais si peu.

– Ce qui est sûr, c'est que tu as mis au monde ce bébé !

Elle a regardé ses parents comme un enfant cherche du secours, il fallait qu'ils la croient, elle en avait besoin. Sa mère tremblait comme une feuille, elle semblait incapable de prononcer un mot, et son père, les sourcils froncés, avait l'air en colère.

– Mais pourquoi tu dis ça ? Tu crois que ça suffit pas comme ça ? Peut-être que ce garçon aurait envie de savoir !

Il n'avait pas fini sa phrase qu'elle s'était déjà emparée du verre qui se trouvait juste à côté d'elle pour le jeter contre le mur en face d'elle. Il a explosé et des centaines de petits morceaux ont volé dans la pièce. Mme Beaulieu a crié, elle s'est mise à saigner, une petite coupure sur le front ; après, tout est allé très vite, Jeanne s'est précipitée vers elle, mais déjà, elle arrachait sa perf, tentait de sauter hors du lit, elle allait s'enfuir, j'ai appuyé sur la sonnette de secours, Jeanne la maîtrisait, j'ai demandé aux parents de sortir, Paul, un aide-soignant qui avait entendu les cris, est arrivé, il l'a ceinturée, elle se débattait, tapait, criait, hurlait, c'était épouvantable, j'ai interdit qu'on lui remette des calmants, il fallait compter sur elle, il allait falloir qu'elle accepte, comment faire autrement?

Elle a fini par s'apaiser. Je suis restée avec elle. Elle s'était cachée sous ses draps, sanglotait; je lui ai dit que j'étais là, qu'on allait prendre le temps, ce serait elle qui déciderait quand.

Je n'oublierai jamais le regard que nous a jeté Louise dans cette chambre d'hôpital. Je ne pouvais rien pour elle, je n'ai pas su l'aider. Aujourd'hui je me le reproche encore, comme si je l'avais laissée se noyer sous mes yeux, sans faire un geste vers elle. Je me suis longtemps demandé ce qu'il serait arrivé si j'avais fait semblant de la croire, en me mettant de son côté, défendant l'indéfendable pour qu'elle ne soit pas seule. Mais ça ne sert à rien, je l'ai laissée tomber, à ce moment précis, j'ai lâché mon enfant, je n'ai aucune excuse.

Je ne me le pardonnerai jamais.

À l'hôpital, ils ont soigné la blessure sur mon front, fait un point de suture et puis on nous a conseillé d'aller nous promener un peu, d'attendre et de revenir dans l'après-midi seulement. Je n'arrêtais pas de pleurer. Ils m'ont proposé un calmant. Je n'avais jamais pris ça de ma vie, j'ai refusé.

Yannick m'a traînée jusqu'au café d'en face. Je marchais difficilement avec la sensation que le sol se dérobait sous mes pieds. Rien n'était tout à fait réel, je n'étais plus tout à fait moi, ça tournait dans tous les sens, j'espérais disparaître et je n'y arrivais pas. On est enfin entrés dans le café et on s'est installés au fond, dans le coin le plus sombre, derrière un escalier.

Yannick a commandé deux cafés serrés. Il s'est assis à côté de moi et il m'a prise dans ses bras. Je me suis blottie contre lui, les yeux fermés, et les larmes aussitôt ont recommencé à couler.

– Le pire, tu sais…

– Je sais.

Il m'avait coupé la parole d'une voix douce mais ferme. J'ai sursauté, surprise, comme s'il venait de me jeter un verre d'eau glacé sur la figure. Il m'interdisait de me laisser aller. J'ai enfin senti son corps raide et contraint contre le mien, il luttait tant avec ses propres émotions qu'il était incapable de contenir les miennes. Je me suis écartée, je l'ai regardé, il avait pris dix ans.

Le serveur a posé nos cafés sur la table. On les a bus en s'évitant du regard.

De temps en temps, on lâchait quelques mots comme s'ils nous échappaient, malgré nous, au milieu de pensées qu'on ne pouvait partager :

– Pourquoi elle dit…?

J'essayais de revenir sur les neuf mois qui

venaient de s'écouler, cherchant un signe qui aurait dû m'alerter.

– Elle a eu ses règles pourtant, j'en suis sûre…

Et puis je tentais d'imaginer les jours à venir.

– Et si elle décide de le garder ?

Il a marmonné :

– Si elle ne le garde pas… comment veux-tu… après… comment… sa vie… et nous ?

À l'heure du déjeuner, le café s'est brusquement rempli. On regardait les gens aller, venir, manger, discuter, comme s'ils appartenaient à un autre monde. On a fini par commander nous aussi le plat du jour. Je n'y ai pas touché, incapable d'avaler quoi que ce soit. J'avais dormi à l'hôtel juste en face, je n'avais pas pu rentrer à la maison, je croyais que Louise aurait besoin de moi, j'en étais si sûre encore la nuit passée… J'ai failli me remettre à pleurer. Le sentiment de lui être inutile m'était insupportable.

Et puis j'ai vu soudain, de l'autre côté de la vitre, debout sur le trottoir, Mélina et Samuel, fumant une cigarette. Je les ai montrés à Yannick. Il a froncé les sourcils.

– Mais qu'est-ce qu'ils font là ?

– Tu crois qu'ils savent ?

D'instinct, on s'était enfoncés dans nos sièges, protégés de leurs regards par la cage d'escalier.

– Et s'ils nous ont vus ?

Je regardais Samuel avec stupéfaction. C'était donc lui ? Mais de quoi le protégeait-elle ?

– Qu'est-ce qu'on fait ?

Yannick s'est levé sans répondre, il a échangé quelques mots avec eux et puis ils sont entrés tous les trois.

Ils se sont assis après m'avoir lancé un bonjour timide.

– Vous voulez boire quelque chose ?

– Non merci !

– Si… si… j'y tiens… Un Coca ?

Ils ont accepté, gênés.

– Comment vous avez su ? ai-je lancé, surprise par l'impatience qu'il y avait dans ma voix.

– On est allés à l'hôpital Cochin et puis on vous a vus, a répondu Samuel, et alors… voilà quoi… on a compris.

– Louise vous a appelés ?

Ils ont secoué la tête.

Mélina avait les larmes au bord des yeux. Elle a demandé comment allait Louise.

– Mal…

J'ai repris mon souffle.

– En état de choc. Ça s'appelle un déni de grossesse… elle n'a rien su avant… Personne ne pouvait savoir…

– Mais je comprends pas… Qu'est-ce qu'elle dit ?

– Elle ne dit rien…

– Si, m'a interrompue Yannick, elle dit que c'est impossible parce qu'elle n'a jamais couché avec personne.

Ils nous ont jeté un regard éberlué. Ça ressemblait si peu à ce qu'était Louise...

– Bah... en même temps... c'est vrai, a murmuré Mélina.

– Mais c'est absurde!

Yannick avait crié, les poings serrés. Comme moi, il avait espéré en apprendre un peu plus...

– Et vous, Samuel?

– Moi? Moi j'en sais rien, moi... Elle est sortie avec Thibaud l'année dernière mais je crois pas que... enfin, elle voulait pas, quoi... elle l'aimait pas.

– Et sinon?

– Mais sinon, on sait pas.

– Elle disait toujours qu'elle coucherait avec quelqu'un le jour où elle serait amoureuse, et ça lui est jamais arrivé, ça, ce truc, quoi...

Mélina nous regardait droit dans les yeux. J'étais sûre qu'elle disait la vérité, j'en étais sûre parce que, rien que de l'entendre, je retrouvais ma fille telle que je l'avais toujours connue.

Yannick a murmuré:

– Elle mentait, c'est tout ce qu'on peut dire... Elle a tellement bien menti qu'elle-même ne savait pas qu'elle mentait.

Samuel avait les sourcils froncés, il faisait craquer ses doigts sans discontinuer.

– C'est dingue, la seule façon de... il y a bien un père... il y a bien quelqu'un qui sait!

J'ai eu brusquement une intuition fulgurante, la certitude que Louise cachait la vérité parce qu'elle avait honte, honte de ce qui lui était arrivé. *Ma petite fille, mon bébé, on t'a donc fait du mal et tu n'en as rien dit?*

– Mélina, souviens-toi, l'hiver dernier, en janvier… Louise est sortie beaucoup… essaie de te souvenir, je t'en supplie… Tu l'as laissée seule un soir… elle est rentrée à pied… ?

– À quoi tu penses ? a lâché Yannick.

– J'essaie de comprendre… elle avait honte, elle a encore honte… Tu comprends ? C'est la seule solution… elle voulait pas… qu'on sache… que…

Je n'arrivais pas à dire le mot. Il est devenu blême. Mon hypothèse était plausible, Louise avait été violée. Ils ont tous baissé la tête, silencieux, interdits…

– Mais pourquoi elle n'a rien dit ? a avancé Mélina qui s'était mise à trembler comme une feuille.

– C'est vrai, a rétorqué Yannick, on l'empêchait pas de sortir… on aurait pu l'aider, elle n'a rien montré, aucun symptôme, aucun trouble, jamais, non… non…

– Je suis d'accord, a renchéri Samuel, ça tient pas debout.

– Mais rien ne tient debout ! Pourquoi elle se tait ?

Je n'en pouvais plus, j'ai brusquement éclaté en sanglots.

– C'est un cauchemar, un cauchemar…

Yannick m'a prise dans ses bras. Samuel et Mélina ont baissé les yeux. J'ai essayé de me reprendre mais je n'y arrivais pas...

Alors Mélina s'est levée.

– On va vous laisser... On voulait voir Louise mais... Je crois que c'est pas le moment...

Je l'ai attrapée par le bras.

– Samuel, Mélina, il faut me promettre d'en parler à personne... Tant qu'on n'en saura pas plus sur... et Louise, ce qu'elle veut... d'accord?

Ils ont opiné, m'ont tendu la main et sont sortis...

– On y va?

– Non, on attend que l'hôpital nous appelle, comme prévu, a rétorqué Yannick.

Louise est restée un long moment cachée sous un drap qui la recouvrait complètement. J'étais à ses côtés, silencieuse, juste attentive à tout ce que je percevais d'elle, ses sanglots, son souffle qui s'apaise, elle s'endort, à nouveau engloutie par un sommeil épais.

Je me tiens devant la fenêtre, laissant mes propres pensées s'échapper de cette pièce, je fuis comme elle, j'ai mal de sa propre douleur aussi informe et innommable que cet enfant, ce bébé qui attend lui aussi, qui vit mais n'existe pas encore… mon esprit court sur les toits de la ville, je regarde les nuages, le ciel gris, un avion qui traverse l'horizon, des gens s'en vont, en suspens entre deux mondes, des vies qui ignorent la mienne, et ça me fait du bien, toute cette indifférence.

Elle est revenue à elle, je m'approche, elle m'entend, j'imagine qu'elle a ouvert les yeux, je pose ma main sur son épaule, elle ne réagit pas, je ne dis rien, je veux juste qu'elle sache que je ne suis pas partie, elle se dégage brusquement, la sensation de ma main lui est insupportable, je suis ce qu'elle refuse, ce qui n'existe pas, je suis ce bébé qu'elle n'a pas mis au monde, elle me hait, ça frémit sous le drap, elle pourrait, elle en rêve, m'étrangler ou m'arracher les yeux, elle pourrait, il faut bien qu'elle se défende, ça l'étouffe, ça l'écrase, ça l'empêche d'être en vie, elle s'agite dans son lit, se tourne de l'autre côté, le drap ne suffit plus à cacher ce qu'elle sent, il faut qu'elle me tourne le dos, encore un peu de temps, me dit-elle en silence, encore un peu pour elle, il faut qu'elle se rassemble, son souffle est régulier, elle ne pleure plus, quelque chose a changé, je le vois malgré le drap qui la cache, ce n'est plus le même corps, je m'assois au bord de son lit, elle l'accepte, je lui dis :

– C'est normal, tu sais, tout ce à quoi tu penses, toute cette colère et cette violence, puisque tu ne savais pas, c'est monstrueux, cette chose que tu n'as pas voulue, comment faire avec ça ?

Je lui enlève doucement le drap, d'abord je découvre son visage, elle a les yeux ouverts, mais elle n'a pas de regard, tout est figé, inerte, sans vie, en même temps qu'elle est tendue, prête à toutes les violences, comme une bête traquée, un animal blessé, et je comprends soudain qu'elle n'a plus rien à perdre puisqu'elle a tout perdu, elle s'est vidée d'elle-même, trahie par son propre corps, et maintenant n'est plus rien, ne veut rien, n'existe plus vraiment comme une marionnette, un chiffon, je lui prends la main, elle ne réagit pas.

Je décide de commencer par rien, comme une conversation quand on fait connaissance :

– Tu es en Terminale ?

– Oui.

– Quelle section ?

– S.

– Tu aimes les sciences ?

– Non, mais je suis une bonne élève.

– Et tu sais ce que tu veux faire après ?

– Non... enfin, j'ai des idées... Je voulais préparer Sciences Po, ou HEC, et aussi... hypokhâgne... J'avais pas vraiment décidé.

Elle s'était mise à parler au passé, il y avait donc un avant et un après, j'ai entendu qu'on avait commencé à parler de ce qui avait eu lieu. Je ne voulais pas aller trop vite, le fil qui me reliait à elle était aussi ténu que sa voix, aussi fragile.

– En fait, tu préfères les matières littéraires.

– Oui.

– Et pourtant, tu n'as pas choisi de faire une L ?

– Je n'ai pas choisi...

Sa voix est restée au fond de sa gorge, j'ai senti qu'elle refoulait des larmes, je lui ai serré la main et elle m'a jeté un regard, le premier, qui me suppliait de continuer.

– Est-ce que tu veux bien qu'on essaie de parler ensemble de ce qui s'est passé?

Elle a hoché la tête.

– Tu te souviens du moment où tu t'es dit que quelque chose n'allait pas?

Elle a froncé les sourcils comme si elle cherchait à se concentrer sur des sensations qu'elle avait ignorées, des signes qu'elle avait mis de côté, qui n'avaient pas le sens qu'ils avaient aujourd'hui.

– J'avais mal aux seins, un peu, ils étaient durs. C'était comme quand j'avais treize ans, quand ils ont commencé à pousser. J'étais contente, je les trouvais trop petits.

J'ai souri à ce plaisir si naturel de voir son corps se transformer.

– Tu en avais parlé à ta mère?

– Bah non…!

– Ah bon?

J'ai feint la surprise, je voulais qu'elle reconquière cette certitude qu'elle avait eue de son corps, de ses métamorphoses, la conviction de s'appartenir.

– Ma mère… je sais pas, mais je crois qu'elle pense toujours que je suis une petite fille, *sa* petite fille.

– Et tu ne l'es plus?

– Pas comme elle croit.

– Mais qu'est-ce que tu penses qu'elle croit?

– Je sais pas… Je m'en fous… Que je suis parfaite, quoi!

Ses traits s'étaient crispés, elle a passé sa main dans ses cheveux comme pour éloigner le spectre d'un sentiment insupportable, une immense déception, celle de sa mère et la sienne, entremêlées.

J'ai laissé le silence s'installer. J'aurais voulu qu'elle reprenne le fil du récit, de son histoire, j'ai senti qu'elle n'en avait pas la force, qu'elle avait besoin de s'appuyer sur mes questions.

– Tu as grossi?

– Je crois pas, enfin si, un peu... J'étais serrée dans mon jean, j'ai pris une taille.

– Et tu as senti quelque chose dans ton ventre?

– Ça a gargouillé, le matin... enfin, dans la nuit aussi, je me suis réveillée, j'avais la nausée... je me suis dit que j'allais vomir, je me suis levée, je suis allée aux toilettes mais rien... je me suis rendormie et le matin, je me sentais pas terrible mais ça allait, je suis allée en cours, j'aime pas être malade.

– Aux toilettes, cette nuit-là, tu n'as rien remarqué?

Elle a rougi, elle m'avait bien caché quelque chose, c'était si difficile de se confronter à la réalité, elle voulait se souvenir et oublier dans le même temps.

– Oui, je... j'ai cru que je faisais pipi mais ça s'arrêtait pas, c'était bizarre...

– C'est ce qu'on appelle perdre les eaux, c'était le début.

– Mais je n'avais pas mal!

– Les contractions ont dû commencer plus tard.

– Toute la matinée, en fait. C'était comme des crampes, je sentais mon ventre se tordre, et puis ça s'arrêtait, j'avais la nausée. En maths, pendant le cours, je me suis dit que j'avais une gastro, j'ai demandé à sortir...

Sa respiration devenait saccadée, elle s'approchait contre son gré de ce qui lui était arrivé.

– ... il y avait Samuel avec moi... Je suis allée aux toilettes, je me suis enfermée, j'ai vomi, je suis restée assise sur les toilettes, ça me prenait, ça s'arrêtait plus, je pouvais rien y faire, ça se tordait, ça montait, ça poussait, je perdais du sang...

Elle a repoussé le drap loin d'elle.

– Je veux pas... je sais pas... je...

Elle pleurait mais les larmes coulaient sans qu'elle cherche à les retenir, comme si ça aussi ne dépendait plus d'elle.

– Tu t'es évanouie...

– Peut-être.

Elle m'avait répondu d'un ton sec, à nouveau agressif. J'ai compris que pour elle l'histoire s'arrêtait là. C'était à moi de la poursuivre.

– C'est le directeur qui t'a trouvée.

– M. Poirier?

– Oui. Et puis les secours sont arrivés. Tu te souviens de ton transport à l'hôpital?

– Je sais pas.

Il fallait continuer, il fallait que j'y arrive, c'était

contre mon gré, à moi aussi, il a fallu que je pense à ce bébé, il fallait que j'y pense à sa place pour pouvoir en parler.

– Et puis vous êtes arrivés dans ce service et on a pris soin de vous. Ton bébé va bien.

– Ce n'est pas *mon* bébé.

– Il existe, Louise… Tu ne peux rien contre ça.

Elle a tourné la tête de l'autre côté, lèvres serrées, bouche close, à nouveau résolument lointaine, ça la menaçait trop, l'idée la rendait folle, je le sentais, j'ai repensé au verre qu'elle avait jeté contre le mur, c'était pareil à l'intérieur, elle aussi éclatée, éparpillée en milliers de petits morceaux acérés et tranchants, obligée de refuser l'évidence, elle ne pouvait accepter ça, il s'agissait de sa propre survie.

J'ai attendu qu'elle sorte de son mutisme en sachant que ça n'arriverait pas. J'étais déçue, j'avais vraiment cru qu'en parlant…

J'ai fini par me lever pour sortir, j'avais besoin de prendre un peu de recul.

– Je reviendrai un peu plus tard. Je suis dans le service tout le week-end. Tu peux demander à me voir quand tu en as besoin. Je suis là.

Elle n'a pas réagi.

Je me suis retrouvée dans le couloir où j'ai été assaillie par l'agitation habituelle de l'étage au moment des visites. Partout des gens souriant aux anges, des fleurs et des cadeaux plein les bras, émus par l'arrivée d'un tout-petit, c'était comme un murmure paisible et joyeux qui passait de chambre en chambre, ponctué des gazouillis de bébé, de rires attendris, j'aimais tant la lumière qu'il y avait sur leurs visages, la délicatesse de leurs gestes, tout cet hommage qu'on rend à la vie qui apparaît. Mais cette fois-là, en sortant de la chambre de Louise, ça m'a semblé déplacé, je me sentais vide, anéantie, j'avais l'impression désagréable de ne servir à rien. Je suis allée me réfugier sur une terrasse qui se trouve derrière la salle de garde. J'avais juste envie de fuir et de ne plus jamais entrer dans la chambre que Louise occupait. Le simple fait de me l'avouer a éloigné l'angoisse. Mais ça ne suffisait pas à me donner la force d'y retourner. J'étais en colère, oui, c'était ça, je lui en voulais de ne pas admettre l'évidence, même si avec ma tête, je pouvais la comprendre et m'efforcer de l'accompagner, au plus profond de moi, je sentais une voix s'élever, une voix absurde, pleine de bons sentiments et de bon sens, qui la traitait de menteuse et qui s'acharnait à lui faire admettre l'évidence. Ce bébé existait, il avait besoin d'elle, c'était insupportable de le savoir nié, il était si fragile, il n'avait rien demandé… Je suis restée un moment comme ça à oser formuler ce qui traînait au fond de moi et petit à petit, j'ai eu l'impression curieusement de me rapprocher de Louise et de son désarroi. C'était moi la menteuse qui avais fait semblant de croire que je la comprenais sans admettre que je m'accrochais à cette réalité tangible – elle avait accouché – parce que j'avais peur de son vide, cherchant obstinément à obtenir un aveu pour être soulagée du poids de sa souffrance, j'avais nié sans le vouloir la seule réalité qui compte, la sienne, sa réalité psychique.

Je me suis sentie capable d'aller voir son bébé. Je suis entrée dans la nursery le cœur battant. Et, contre toute attente, j'ai vu Louise debout au milieu des berceaux. Elle regardait tout de loin avec un air faussement dégagé et prête à repartir comme elle était venue. Josyane, la sage-femme, s'occupait de changer un bébé et lui tournait résolument le dos. Je la connaissais assez pour savoir qu'elle refusait d'aider « ce genre de fille ». C'était plus fort qu'elle, elle se mettait toujours du côté des enfants. Mais cette fois, j'ai trouvé qu'elle allait trop loin, je me suis promis d'en parler en réunion de service.

– Louise ?

Elle s'est retournée comme si je la prenais en faute. Je me suis dirigée vers le berceau où son bébé dormait, sans rien dire, j'attendais qu'elle s'approche. Elle a tangué, d'un pied sur l'autre, elle hésitait, tremblante et apeurée. J'ai détourné le regard, j'ai posé la main sur la tête de son petit garçon, il a ouvert les yeux, pris d'un sursaut, presque un hoquet, comme s'il avait senti... Je l'ai pris dans mes bras, Louise était à mes côtés, elle a lu la petite pancarte accrochée au berceau, son nom à elle et le point d'interrogation... Et j'ai croisé son regard.

Le bébé chouinait dans mes bras, se tortillant dans tous les sens, il aurait fallu que je parle, que je lui raconte ce qu'il était en train de vivre, mais les mots ne voulaient pas sortir, j'avais trop peur, comme si dans tout ça, il n'y avait pas de place pour les mots, comme si les mots ne pouvaient que trahir, je rêvais qu'elle le prenne dans ses bras, qu'elle accepte de le savoir en vie, c'était ça que je voulais et c'était impossible…

Et Louise a murmuré :

– Quand mon petit frère est né, j'ai imaginé le prénom que je donnerais à mon premier bébé… J'avais choisi Noé.

J'ai tendu le bébé vers elle, mais elle m'a aussitôt tourné le dos et elle est repartie. Au milieu de la pièce, soudain, je l'ai vue s'écrouler. Évanouie. Josyane s'est enfin intéressée à ce qui se passait, elle a vu que j'avais le bébé dans les bras, elle l'a pris et j'ai pu m'occuper de Louise, la faire revenir à elle et, doucement, la raccompagner dans sa chambre.

Je l'ai laissée aux mains des infirmières, elle a demandé qu'on la laisse, voulait dormir, je suis sortie.

Je me suis dirigée droit vers la nursery et, d'une main tremblante, j'ai effacé le point d'interrogation pour le remplacer par les trois lettres qui donnaient à cet enfant le début d'une histoire. N O É.

… je n'ai rien à leur dire rien à leur dire rien

un paquet de mensonges assis sur un lit d'hôpi-tal un paquet sale dégoûtant répugnant paquet de honte cachotteries même pas juste un paquet qui ne pense pas ne veut pas ne suis pas triste ne souffre pas ne suis plus

rien

rien à leur dire rien à leur dire rien à leur

ça coule entre mes cuisses le sang du sang ça fait mal déchirée recousue ça continue de couler il faut que ça coule ça s'écoule hors de moi que ça me lave et tout recommencer du sang neuf qui ne saura pas ne saura rien de lui cet autre là-bas que je ne connais pas ne veux pas connaître n'est pas à moi de moi n'est rien non n'est rien m'a déchirée c'est tout fini ça n'a pas commencé ça ne commencera pas un mur pour séparer un peu de sang comme un souvenir même pas une trace même pas rien

non rien à voir avec moi je le sais ne sais rien à leur
dire rien à leur dire rien

« Arrête de jouer avec ta tête, Louise ! Il faut que
tu joues avec tes tripes sinon il ne se passe RIEN !
Il faut que tu lâches, tu comprends ça ? »

Je me souviens, elle m'a pris le violon des mains,
avec ce calme, cette patience, cette douceur que je
lui ai toujours connus, déterminée à me mener
là où elle voulait me conduire, si obstinée et sûre
d'elle que je n'ai jamais eu qu'à la suivre, à me
plier à sa volonté pendant neuf ans, répéter dix,
vingt, cent fois la même mesure, fournir l'effort
demandé, obtenir les résultats escomptés, du travail encore et encore, première mention et félici-
tations du jury, année après année, pour en arriver
là, ce jour-là, quand elle m'a ôté l'instrument des
mains, qu'elle m'a prise dans ses bras pour me
secouer, ses yeux plongés dans les miens où j'ai
lu de la colère, une vraie colère mais froide une
colère déçue comme si tous ses espoirs après toutes
ces années étaient en train de s'envoler, « arrête
de jouer avec ta tête », je la regarde, étonnée, je ne
comprends pas ce qu'elle dit, elle le sent, reprend,
« oui, tu joues juste, tu es en rythme, c'est parfait
mais c'est lisse, Louise, totalement lisse, et ça je
n'y peux rien, il faut que ça vienne de toi »... De
moi ? Qu'est-ce qui ne va pas chez moi ? Qu'est-ce
que je dois faire, moi ? Aujourd'hui, j'y pense, je

sais de quoi elle parle, je marche à côté de moi-même, absente, désincarnée, il n'y a pas de rapport entre ma tête et mon corps, si peu, je ne suis qu'une image à laquelle tout le monde croit, mais dedans rien à l'intérieur rien, rien senti, rien vu venir, rien, je suis une tête sans corps, privée de sensations, sentiments, une machine, anormale... qui s'est mise en route, seule, sans moi, sans ma tête qui s'acharnait sur des gammes, encore plus de vélocité, un trille léger, un *legato* au son plein, mais ce n'étaient que des sons, des sons sans vie, des sons sans moi, une vie a poussé en douce, en moi, et je n'ai rien senti, rien, comme si j'étais morte à l'intérieur, rien, *sans âme qui vive...* même pas capable de me souvenir que j'ai couché, avec qui, quand, comment, où j'étais morte et je ne le savais pas je continue de mourir il a pris ma vie il a volé mon âme il est sorti de moi il vit à côté de moi je ne suis plus rien poupée de chiffon marionnette menti détruit fini

rien à leur dire rien à leur dire rien

Elles sont entrées dans ma chambre à l'heure des informations télévisées, j'entendais la voix de Claire Chazal de l'autre côté de la cloison, neutre et monocorde, annonçant sans doute où en était la guerre, ici ou là, la crise le chômage la grève des lycéens la réforme des retraites, j'ai pensé qu'on était vendredi que la loi avait été votée au Sénat, qu'ils étaient en vacances, j'y ai pensé comme si j'étais recluse, en prison, condamnée à perpétuité pour un meurtre que je n'avais pas commis, désormais derrière les barreaux, de l'autre côté, étrangère, exilée d'un monde où je n'avais plus ma place, elles sont entrées, elles étaient deux, la psy et l'autre que j'avais déjà vue, paraît-il, Jeanne, elle a dit qu'elle s'appelait, assistante sociale, un dossier dans les bras et des questions plein la bouche.

Aussitôt, j'ai arrêté de penser, j'ai regardé du côté de la chambre où je ne les voyais pas, dans un coin un morceau de peinture écaillée qui ressemble à un papillon sans ailes que je ne cesse de regarder quand on me parle, quand on me voit, le seul endroit de cette pièce que personne ne regarde, mon refuge, je peux me cacher, disparaître, je peux cacher ma honte, je ne veux pas leur montrer ça

rien à leur dire rien à leur dire rien

j'écoute j'ai compris je sais déjà ce qu'elles ont à me dire elles, plein de choses, elles à dire à comprendre à expliquer, elles qui n'ont aucune idée de ce qu'est une frontière des barreaux, d'être de l'autre côté, c'est de là qu'elles me parlent et jugent, je fais comme elles, je suis comme elles – impitoyable – paquet même pas, vieux sac plein de mensonges, vieux sac mité, du côté des parias pestiférées lépreuses malades mentales, je le lis dans leurs yeux une compassion factice tout ce qu'elles se retiennent de dire, pas juger qu'elles répètent, accompagner aider secourir soutenir, et la honte que j'éprouve pour mon corps sous leurs yeux et ces pensées qu'elles cachent que je partage

si elles savaient

et la Jeanne avec sa voix de fausset, quand elle est ailleurs est-ce que sa voix change, est-ce que sa voix se pose quand elle a en face d'elle des gens qu'elle peut comprendre, elle continue d'expliquer, il faut que tu décides, des papiers à signer, tu l'as appelé Noé, tu veux le voir ? Tu peux tu sais ça ne t'engage à rien

j'ai déjà décidé je dis je peux pas

elle me tend les papiers un crayon elle apporte la tablette

je ne lis pas

je signe

je rends les papiers

elles vont s'en aller me laisser je vais pouvoir dormir

demain je partirai je vais partir sortir respirer

demain

Je me souviens avec une précision hallucinante de ce matin-là dans la chambre d'hôpital et pourtant aucun de ces souvenirs ne m'appartient vraiment. Comme s'il ne s'agissait pas de moi, comme si je regardais quelqu'un d'autre faire ces gestes à ma place...

Je te vois, tu te lèves bien avant l'aube et tu ranges tes affaires une à une dans une valise que tu fermes soigneusement. Et puis, tu prends ta douche, tu saignes encore abondamment, tu t'habilles avec soin et tu laisses tes vêtements sales dans un coin. Tu ne veux pas les emporter avec toi. Tu tournes dans la chambre, tu vas, tu viens, tu regardes par la grande baie vitrée les toits de la ville et cette nuit qui n'est pas noire, les rues sont éclairées, tout est si calme, tu attends que le jour se lève, tu t'impatientes et puis tu vas t'asseoir sur le fauteuil en Skaï marron, tu attends, tu écoutes.

Du couloir te parviennent les bruits feutrés des pas des infirmières et puis les pas s'estompent, les portes se referment et c'est à nouveau le silence comme si la nuit n'en finissait pas d'être en suspens, comme si le jour ne devait plus jamais se lever. À travers les cloisons, tu entends un murmure, d'autres que toi sont réveillés ou ne parviennent pas à dormir, un nourrisson se met à pleurer, doucement et de plus en plus fort, tu serres les poings, tu t'absentes un peu plus, le jour va se lever, tu vas partir et ton cauchemar cessera, celui-là tout au moins, après tu n'en sais rien encore...

Et puis enfin arrivent les bruits des plateaux, des portes qu'on ouvre et qu'on referme, quelques éclats de voix, des rires, une odeur de café, de pain chaud, tu te lèves, tu vas sortir, c'est décidé comme ça, c'est la seule chose que tu veux, sortir et ne plus être là, enfermée entre ces quatre murs.

Tu prends ta valise et tu mets ton manteau. Tu

t'enroules dans une écharpe mauve, tu fais glisser la fermeture Éclair, tu ouvres la porte et tu sors sans jeter un regard derrière toi.

Tu traverses le couloir, tu vois le chariot du petit déjeuner que tu ne prendras pas, la femme de service ne te remarque pas, tu avances comme une ombre et tu rejoins la cage d'escalier. Ton cœur bondit dans ta poitrine, tu as peur, peur qu'ils te retiennent et qu'ils t'empêchent de faire ce que tu as décidé, peur qu'on t'enferme et qu'on te juge, qu'on te condamne, comme si tu n'étais pas déjà condamnée. Mais pour l'heure, tu résistes, la seule chose que tu veux, c'est respirer dehors avec l'hôpital dans ton dos.

Tu traverses le hall. À cette heure-là, il n'y a encore personne à l'accueil. Tu pousses la porte, l'air est vif, tu descends quelques marches, tu frissonnes et tu te recroquevilles dans ton blouson, tu mets la main sur la fermeture Éclair pour la remonter plus haut, jusqu'au menton, tes yeux piquent, tu as des larmes au bord des yeux, c'est le froid, penses-tu. Tu n'as pas de regrets, tu n'as pas le sourire, tu ne sens rien, rien même pas l'ombre d'un soulagement, tu es juste étonnée d'être en vie, comme une ombre, mais tu respires, tu avances vers un petit banc et tu attends. Bientôt le jour sera là, tes parents vont venir, tu monteras dans la voiture et tu rentreras chez toi. Tu t'étonnes, tu continues d'avoir peur, ton cœur ne s'arrête pas de cogner dans ta poitrine, on cherche à te retenir, pourtant il n'y a personne. Le jour est enfin levé, gris et terne, les feuilles mortes jonchent le sol. Tu attends.

J'étais encore enfoncée dans le siège de la voiture quand j'ai vu le visage d'Ulysse collé contre la fenêtre du salon, il avait soulevé les rideaux qui tombaient de part et d'autre de son visage comme un voile de communiante. Les yeux plissés et les sourcils froncés, le regard perdu dans une attente inquiète, il attendait sa sœur, sa grande sœur adorée, allais-je être capable de le prendre dans mes bras, et supporter son corps enroulé contre le mien ? Je n'ai pas eu le temps d'y penser, à peine a-t-il aperçu la voiture dans l'allée qu'il a disparu, le rideau a flotté dans le vide, il a couru jusqu'à moi, dans mes bras, j'ai senti son souffle dans mon cou, et ses petits bras qui me serraient très fort, ma peur s'est envolée, oui, je l'aimais encore, j'étais encore capable de sentir quelque chose, il ne savait rien, pour lui, j'étais restée la même.

J'ai croisé le regard de mes parents. Ils n'osaient pas sourire, émus aux larmes, j'ai regardé ailleurs, je ne pouvais rien y faire, je ne les supportais plus. Eux, ils savaient et ils m'avaient trahie.

En arrivant à l'hôpital, ils m'avaient trouvée sur le banc. Livides, ils avançaient jusqu'à moi à pas prudents, comme s'ils étaient en train de traverser un champ de mines, des cernes jusqu'en bas des joues, le teint gris, ils avaient pris dix ans. Je les ai détestés d'être dans cet état-là, je n'avais pas la force de supporter leur inquiétude. J'aurais voulu les retrouver comme ils étaient avant, insouciants et légers, avec cette assurance qu'ils avaient toujours eue. Il m'a semblé les voir tels qu'ils étaient vraiment.

Papa a pris mon sac sans un mot, maman a demandé si tout était en règle avec l'hôpital, j'ai haussé les épaules, je n'en savais rien, je voulais partir, ils ne comprenaient pas, mon père a dû sentir que j'étais prête à m'enfuir et à disparaître, il a dit «on y va», j'ai cessé de trembler, je suis montée dans la voiture, j'ai attendu qu'on démarre, et je me suis enfin enfoncée dans le siège, on était partis, on s'éloignait, j'ai cru que j'allais pouvoir recommencer à respirer.

Mais, quand je suis entrée dans la maison, je me suis arrêtée net. Ulysse me tenait par la main, j'ai senti son regard posé sur moi, interloqué. J'étais prise à la gorge par l'odeur familière de l'endroit où j'avais passé mon enfance et c'est comme si, d'un coup, tout ce que j'y avais vécu me revenait en mémoire, ou plutôt me traversait de part en part sans plus m'appartenir. Je regardais chaque objet là où il avait toujours été, je pouvais les reconnaître un à un, à leur place habituelle, le vase Art déco bleu et vert, la table toujours encombrée de vieilles revues, le tapis qu'on avait rapporté d'un voyage en Turquie...

– Qu'est-ce que t'as ? a demandé Ulysse.

– Rien, pourquoi ?

– Ben je sais pas, tu regardes partout comme si tu cherchais quelque chose.

J'ai haussé les épaules. Il a repris :

– Ça va ?

– Oui, oui.

– T'as mal ?

J'ai sursauté.

– Non...

– T'as fini de saigner ?

Je n'ai pas répondu. J'ai lâché sa main et je lui ai dit que j'étais fatiguée. Je suis montée dans ma chambre. J'ai entendu ma mère.

– On va manger bientôt...

C'était bien sa voix, comme un souvenir, un rêve, des mots qui n'avaient pas de sens. Je me suis jetée sur mon lit et j'ai fermé les yeux, prise d'un vertige sans nom.

Dormir.

Ne plus penser à rien.

La chambre était plongée dans une demi-pénombre quand je suis revenue à moi. Pendant quelques dixièmes de seconde, le temps d'un battement de cils, j'ai eu cette sensation délicieuse d'avoir tout perdu dans le sommeil, comme si tout pouvait s'effacer, l'heure, le jour, les pourquoi et les comment pour ne garder que le plaisir d'être en vie, un plaisir brut, venu du fond des âges. Mais il a suffi d'un autre dixième de seconde, d'un autre battement de cils pour que tout me revienne et que tout recommence.

C'était si effrayant que je me suis levée d'un bond, c'était comme un réflexe, comme si je me noyais, je me sentais partir, renoncer, je suis sortie de ma chambre pour prendre une douche, chaude et longue, qui ne suffirait pas, je le savais déjà, à me rendre à moi-même.

– Louise?

Ma mère était derrière la porte. Je n'ai pas répondu. Elle a toqué une fois, timidement et de plus en plus fort, elle s'est mise à crier, «Louise, bon sang, réponds-moi!» Mais je ne pouvais pas, *si je parle je crie si je parle je tombe* j'ai fermé l'eau, je me suis enroulée dans une serviette, elle était toujours là.

– Louise... tu m'entends?

J'ai ouvert la porte, je tremblais. Elle m'a prise dans ses bras et je me suis écroulée en pleurant.

J'étais blottie contre elle, tout contre, elle passait sa main dans mes cheveux, doucement, tendrement, sans rien dire, et peut-être ai-je pu croire, comme elle l'a cru aussi, que j'avais du chagrin, simplement du chagrin, un de ceux qui nous étreignent et nous angoissent, qui nous font

pleurer et puis qui s'estompent et enfin dispa-
raissent. Juste un chagrin de passage.

Les larmes ont cessé de couler mais le nœud qui
me serrait la gorge ne s'était pas dissous. J'étouffais. Il fallait que je sois seule. J'ai repoussé ma
mère. C'était pas du chagrin. Ça n'avait pas de
nom, ça ne se consolait pas, ça ne s'oubliait pas,
c'était là, c'était moi tout entière.

Je suis retournée dans ma chambre, laissant ma
mère désemparée à la porte de la salle de bains. Je
me suis à nouveau enroulée dans ma couverture
et j'ai fermé les yeux.

Plus tard, mon père est venu me proposer de
maintenir les vacances en Bretagne :

– On peut partir demain, ou plus tard... ou pas
du tout ! C'est comme tu veux.

Il était adossé au chambranle de la porte, le sourire forcé et dans sa voix une légèreté feinte. On
est restés un court instant à s'observer d'un bout
de la pièce à l'autre, lui ne sachant pas quoi faire
de mon silence, moi ne sachant pas quoi faire de
ses mots.

Il a fait quelques pas dans la chambre.

– Mélina est venue. Elle t'a rapporté ton
portable...

Il le tendait vers moi, mais je n'en voulais pas,
je ne voulais rien savoir de leur sollicitude, des
questions qu'ils posaient... J'ai eu l'impression que
le monde entier me demandait des comptes, je lui

ai pris le portable des mains et je l'ai rangé dans le tiroir.

rien à leur dire rien à leur dire rien.

– On lui a dit que tu dormais… Elle a envie de te voir, tu sais…

Il a attendu ma réaction, mon silence obstiné a fini par le mettre mal à l'aise. Il s'apprêtait à sortir de la pièce sans exiger de réponse et ça m'a soulagée qu'il garde cette distance-là.

J'ai lancé dans son dos :

– Pourquoi pas ?

Il s'est retourné, interloqué.

– Pour les vacances, pourquoi pas… demain.

– Bon, super. Ulysse va être fou de joie. Bonne nuit.

– Bonne nuit, papa.

J'ai replongé sous ma couverture.

Mélina, Mary Lou, Marius, Stan, Thibaud, Samuel… Un instant, je me suis imaginée au milieu d'eux, posant les mêmes questions, discutant pendant des heures de ce qui m'était arrivé comme s'il s'agissait de quelqu'un d'autre…

J'ai rouvert les yeux. D'instinct, comme un animal sent le danger, j'ai repoussé toutes les pensées qui filaient dans ma tête plus vite que moi.

J'ai dormi comme une masse et je me suis réveillée le lendemain aussi fatiguée que la veille. Mais je me suis levée, douchée, habillée, je suis descendue pour prendre mon petit déjeuner, j'ai grignoté un bout de pain, ma mère a insisté pour me faire boire du lait, j'ai cédé, j'y ai trempé mes lèvres, j'ai été prise de nausée, j'ai reposé mon bol, je suis remontée pour préparer mes bagages. Il fallait faire semblant, je pouvais faire semblant, j'essayais de me convaincre, j'allais y arriver, il le fallait, bouger, faire des gestes comme si c'était moi qui les faisais, j'allais y arriver, choisir entre deux pulls, le rouge ou le noir, prendre un jean ou bien deux, quelques affaires de cours, mes cahiers, un roman, mon violon, mes partitions... tout me tombait des mains, je les mettais dans la valise et puis je les ressortais, tout était en vrac, tout ça qui n'était plus à moi, il fallait que je me force, ils m'attendaient en bas, j'entendais Ulysse pousser des petits cris excités et joyeux, soudain il est entré, il m'a sauté au cou, m'a embrassée très fort et puis s'en est allé, j'aimais sa joie, mieux, j'en avais besoin, mais mon cœur s'est serré, j'étais jalouse aussi, horriblement jalouse de son visage insouciant et de sa légèreté.

En bas des escaliers, il y avait trois valises et le gros panier en osier que maman utilisait à chacun de nos voyages. Je savais ce qu'il contenait, un cake au jambon, un feuilleté au fromage, quelques fruits, des gâteaux secs et des minipacks de jus d'orange. Après le repas, on aurait droit, Ulysse et moi, à un paquet de bonbons surprise qu'elle aurait caché dans la boîte à gants de la voiture. J'ai croisé son regard qui me fixait avec une anxiété qu'elle a tenté de masquer en esquissant un sourire. J'ai posé un baiser furtif sur sa joue en passant, ça l'a émue aux larmes, elle aurait bien voulu me prendre dans ses bras. Elle était encore pleine de toutes ces illusions que, moi, j'avais perdues, pleine de larmes et de sentiments quand j'étais vide.

Elle était mère, j'avais refusé de l'être.

En quittant la ville, sur l'autoroute, j'ai senti mon cœur se serrer, je me suis dit, *je m'en vais et il ne le sait pas.*

Ulysse m'a demandé de jouer aux voitures vertes. J'ai compté avec lui, obstinément, toutes celles que l'on croisait, pendant des kilomètres.

À Combourg, toute la famille nous attendait pour déjeuner chez mamie Renée. J'ai été prise par le tourbillon des embrassades et de l'installation, par les conversations, des éclats de rire et de la joie qu'on avait tous à se retrouver deux ou trois fois par an. On était douze et je me fondais dans la masse comme on s'adosse à un mur de pierre pour faire cesser le vertige. Jusqu'à ce que tante Fanny me trouve un peu pâlotte. Tous les regards se sont tournés vers moi, je me suis ratatinée sur ma chaise pendant que ma mère inventait des contrôles en cascade, la pression des études.

– C'est vrai que c'est le bac, cette année… ça rigole plus! a lancé tonton Louis.

J'ai hoché la tête.

– Et après, tu sais ce que tu veux faire?

J'étais incapable de répondre, je me suis contentée de le regarder, les yeux ronds, le silence a duré,
Gaëlle, ma cousine, m'a donné un coup de coude,
j'ai sursauté mais je n'ai rien pu dire. Tante Fanny est
venue à mon secours:

– Allez, aide-moi à débarrasser, on va manger le
dessert.

Je me suis redressée si brusquement que ma chaise
est tombée. En voulant la retenir, j'ai renversé un
verre qui s'est brisé sur le sol. J'ai entendu leur cri
stupéfait, je me suis mise à trembler et, sans relever
la tête, je suis sortie en courant.

J'ai couru jusqu'au bout du chemin, et puis j'ai
traversé un champ, et un autre, je n'avais plus de
souffle, j'ai continué quand même, un pas après
l'autre, le plus vite que je pouvais, courir encore, je
me suis enfoncée dans les bois, il pleuvait, je sentais
l'eau glisser sur mon visage, dans mes cheveux, mon
pull humide frotter contre ma peau, le vent tourner
autour de moi, glacé, violent, j'avais froid, je grelot-
tais, je suis tombée, je me suis roulée en boule dans
la terre gorgée d'eau, ça sentait les feuilles mortes en
décomposition, les yeux fermés, le souffle court, il
fallait oublier, disparaître, tenir ce qu'il faudrait pour
ne plus rien sentir, dormir, dormir, dormir.

Il paraît qu'on m'a retrouvée dans la nuit mais
je ne m'en souviens plus. Pendant quelques jours,

j'ai eu une fièvre carabinée, et puis je crois qu'un médecin est passé et qu'il m'a administré des calmants. Parfois, il y avait ma mère et son visage anxieux au-dessus de ma tête, sa main qui passait dans mes cheveux, sa douceur qui ravivait ma peine et à nouveau le sommeil, la fièvre, et cette conscience étrange d'une souffrance adoucie mais intacte.

Et puis un matin, ou était-ce en plein après-midi, je suis revenue à moi. Ce qui veut juste dire que je suis restée les yeux ouverts un long moment. Assez pour me souvenir de ce que je faisais dans cette chambre. Et puis mon ventre s'est mis à gargouiller. J'avais faim, ça m'a fait frissonner, c'était presque le début d'une envie. J'ai essayé de me lever. J'étais prise d'un besoin soudain de bouger, de me secouer, de faire enfin quelque chose. En posant le pied par terre, j'ai compris que je n'irais pas bien loin. Mes jambes ont réussi à aller jusqu'à la porte fermée. J'ai tenu bon en prenant appui sur le mur... Je devais quand même pouvoir arriver jusqu'au frigo de la cuisine, ai-je pensé, rageuse. J'ai descendu quelques marches avant de m'arrêter net en entendant des éclats de voix qui provenaient du salon. J'ai reconnu la voix de mes parents qui se mêlait à celles de ma grand-mère, de Fanny et de Jean, son mari. Ils parlaient de moi, d'un hôpital... Mes parents avaient l'air décidé. Je me suis assise sur les marches et je les ai écoutés.

– C'est trop dur, a murmuré ma mère.

– Dur pour qui ? a enchaîné mamie.

Elle semblait furieuse et pas du tout d'accord avec eux.

– C'est de vous qu'elle a besoin, pas d'être enfermée avec des fous.

– Mais maman...

C'était la voix de mon père.

– Nous, on peut pas l'aider.

– Ben alors comme ça... Comment veux-tu qu'elle parle ?

– Écoutez, Renée..., a repris maman.

– La vérité, c'est que vous avez peur de ce qu'elle a à dire et qu'elle le sait !

– Renée, vous dépassez les bornes ! Vous ne pouvez pas dire une chose pareille...

– Mais si, je peux, Mathilde, non seulement je peux le dire mais je vais le répéter...

J'ai entendu une chaise racler sur le sol et puis une porte a claqué. Ma mère avait dû sortir de la pièce.

J'en avais assez entendu. Je suis remontée pour me glisser sous les draps mais je suis restée assise, refusant de m'allonger, de sombrer à nouveau dans un sommeil profond.

J'ai senti monter une colère brûlante, pour eux, c'était clair, j'étais folle...

Et moi, j'en pensais quoi ?

Moi, je n'en pensais rien mais ça ne suffisait pas.

On ne me croyait pas, il fallait que j'avoue, c'est ça qui me rendait folle, qu'ils attendent ça de moi, cet aveu, comme si j'avais fauté, comme si j'étais coupable… J'aurais pu inventer une histoire de garçon, j'aurais dit *c'était un soir comme ça, juste une fois*, j'aurais pu ajouter qu'il y en avait eu d'autres, *des histoires sans lendemain*, mais je venais de comprendre que ça ne changerait rien, ce n'était pas ça qu'ils attendaient. Ils exigeaient des justifications, des vraies, des tangibles, des explications limpides sur ces mois d'attente où je n'avais rien attendu. Je devais *malgré tout* en savoir quelque chose, *malgré tout,* j'avais dû sentir, percevoir, deviner et je l'avais caché, enfoui, dissimulé, sans le vouloir, *certes*, mais il y avait forcément eu des signes que j'avais étouffés, des signes de cette vie qui grandissait en moi, *car enfin sinon…* j'avais des comptes à rendre, des mots à fournir *parce que tout de même…*

Les larmes coulaient le long de mes joues, je les essuyais du dos de ma main, je ne voulais plus pleurer. Il fallait au contraire attiser cette rage qui m'agitait tout entière, l'entretenir, la laisser se déployer, m'appuyer sur elle et continuer debout.

– Quitte à tout perdre, me suis-je dit à mi-voix, avant de me rendre compte que j'avais déjà tout perdu.

Et si je frissonnais d'angoisse à me sentir si seule,

ce n'était pas si grave, au moins j'étais lucide, j'avais envie de me battre, pour quoi je ne le savais pas encore mais *je ne renoncerai pas, je ne renoncerai pas*, me répétais-je en boucle.

Je venais de retrouver en moi, fragile, si fragile, ma volonté de vivre.

Il fallait donner le change et j'y suis parvenue. Pendant quelques jours, j'ai fait ce qu'on attendait de moi, me promener sur la plage à Saint-Malo, manger des crêpes en les trouvant trop bonnes, écouter les conversations anodines sur le temps pluvieux ou l'hiver qui serait rude, je ne disais pas grand-chose, je me forçais à sourire. Ils en semblaient contents. Et je peux bien avouer, même si ce n'est pas si simple, que ça me faisait du bien de vivre dans leur sillage.

Un matin, j'ai rejoint mamie dans le jardin qu'elle était en train de préparer pour l'hiver. Courbée en deux, elle arrachait, binait, bêchait et retournait la terre sans relever la tête, feignant de ne pas m'avoir vue.

– Je peux t'aider ? j'ai demandé.

– Si t'as rien de mieux à faire…

Elle ne m'avait même pas regardée.

– Qu'est-ce que tu veux…?

– Débrouille-toi, tu vois bien !

Je suis allée dans la remise où j'ai pris une bêche. Je me suis mise un peu plus loin dans le potager et j'ai essayé de faire comme elle. Au bout de dix minutes, j'ai eu les mains en feu, mon dos me faisait mal, je me redressais, puis je me mettais à genoux, mes cheveux tombaient dans mes yeux, je n'y voyais plus rien.

– Je suis pas très douée, en fait...

– Ça y est, t'es déjà fatiguée?

– Non, non...

Je m'y suis remise, en me disant que je finirais par avoir raison des préjugés qu'elle avait sur les gens-de-la-ville, elle qui nous avait toujours regardés, mon frère et moi, comme des petites choses fragiles. J'ai travaillé pendant un bon moment jusqu'à ne plus sentir l'effort que ça me demandait. Un soleil d'automne, pâle et mouillé de brume, pointait derrière d'épais nuages noirs tandis qu'un vent glacial s'était mis à souffler mais je ne sentais ni le froid ni l'humidité qui me rentraient dans la peau. Obstinément, un geste après l'autre, j'avançais dans le potager en ne pensant à rien.

– Quand tu auras fini, y a les pommes à trier.

Je me suis retournée, elle était plantée là, sur ses deux pieds, et me regardait faire. Elle avait l'air de trouver que je ne me débrouillais pas trop mal.

– OK!

On a souri, complices, et on s'est penchées à nouveau sur nos bêches.

Il s'est mis à pleuvoir un peu avant midi. J'ai remercié le ciel de venir à mon secours car, à la vérité, je n'aurais pas tenu beaucoup plus longtemps.

– Allez, viens, on rentre! a-t-elle brusquement ordonné.

On était en train de ranger nos outils dans la remise quand elle m'a soudain retenue par la main.

– Tu sais, ma Louison, faut pas te laisser aller! C'est comme ça dans la vie, y a toujours des malheurs. Ce qui compte, c'est de savoir ce qu'on en fait.

– Mamiiie… s'il te plaît…

Je ne pourrai donc plus rien vivre sans qu'on me coince dans les recoins pour faire sortir la vérité de ma bouche.

J'ai voulu enlever ma main de la sienne mais elle a serré plus fort, ses gros doigts noirs et calleux me retenaient prisonnière.

– Tu veux donc que ce soit les autres qui décident à ta place, c'est ça que tu veux pour toi, Louise?

– Mais de quoi tu parles?

– Tu fais semblant et ça fait plaisir à tout le monde. Et après? T'as pensé à ce qui va t'arriver?

J'ai fait non de la tête. Mon cœur s'est mis à cogner trop fort dans ma poitrine.

– Ça va bien d'être dans ta petite bulle en boudant comme une gamine punie. Mais ça te mène où, t'y as pensé?

Elle a serré mon bras un peu plus fort encore.

– Alors ? Réponds, bon sang, ça sert à rien le silence !

– Mais… je…

– Oui ?

– Je sais pas… Mamie, je te jure, j'peux pas penser à… Ça fait trop mal.

Elle a relâché son étreinte en poussant un soupir déçu.

– Laisse tomber, ma Louison, je dois me tromper, a-t-elle murmuré dans un souffle. Puisque tu ne *peux* pas, après tout !

Et elle m'a plantée là, tournant brusquement les talons, s'éloignant à petits pas têtus et décidés, légèrement courbée par les ans, déjà vieille mais luttant par nature de toutes ses forces contre les vents contraires. Elle a lancé de loin, indifférente :

– N'oublie pas d'éteindre la lumière en sortant !

Je l'ai rappelée :

– Mamie, attends…

J'ai couru pour lui barrer la route.

– Il ne s'est rien passé, est-ce que tu peux comprendre ça ? Rien de RIEN, je n'ai rien voulu, rien décidé… En tous les cas, je me souviens pas, je… veux reprendre ma vie, la mienne… le reste, c'était pas… ma vie… je crois…

J'ai cru que je pouvais la convaincre. Mais la convaincre de quoi ? Les mots trébuchaient dans ma tête, je n'y croyais pas moi-même. Elle me fixait de ses petits yeux perçants et durs comme de la pierre.

– Le reste ? Le reste, ça s'appelle un bébé !

Baisser la tête. Éviter son regard. Ne pas montrer la nausée que provoquait ce mot-là.

Elle a enchaîné :

– Tu peux baisser la tête, et même t'enterrer sous le sable pour disparaître, ça ne t'empêchera pas d'avoir honte partout où tu iras pour le restant de tes jours.

Garder les poings serrés, les yeux baissés, la bouche fermée. Ne pas pleurer. Attendre que ça s'arrête.

– Et si tu veux le savoir, moi aussi, j'ai honte, comme tes parents et toute ta famille. Et pour tes amis, ce sera pareil… parce que c'est monstrueux tout ça !

Elle s'est arrêtée net. Les mots étaient allés plus vite qu'elle. Elle a tenté de les reprendre et de les adoucir :

– Même si on t'aime quand même…

Ça sonnait faux, ce n'était pas ça qu'elle voulait me dire, elle a piétiné sur elle-même et, dans un souffle, elle a fini par lâcher :

– T'as beau pas vouloir en parler, ton silence le fera pas disparaître, il existe, ce bébé, c'est comme ça, il est là et c'est toi qui l'as porté et qui l'as mis au monde !

J'étais toujours debout, face à elle, je ne me suis pas enfuie. Ça faisait mal à hurler mais je ne reculais pas.

Mamie me ramenait au rivage, de force, et sa violence provoquait un soulagement atroce.

Comme si elle me permettait brutalement d'avoir à nouveau accès à moi-même, c'est-à-dire à la honte.

Noé, je t'ai abandonné.

Elle avait fini par se taire. Quand j'ai relevé la tête après un long silence, nos regards se sont croisés et aussitôt évités, électriques.

Je l'ai prise par le bras.

– Viens, ils doivent nous attendre !

Pendant le repas, je n'ai pas ouvert la bouche, j'ai mangé le plus vite possible et j'ai annoncé que je partais en promenade. Aussitôt, les visages se sont couverts d'une inquiétude grise et, les sourcils froncés, mon père a demandé :

– Je crois qu'il vaut mieux que quelqu'un t'accompagne.

J'ai fait mine de céder.

– OK, je vais appeler Gaëlle, je vais lui demander…

– Je crois qu'elle est allée faire des courses avec tante Fanny.

Ma mère a pris le relais :

– Si tu veux, on va les rejoindre.

Je n'ai pas réagi.

– Ou alors, on va tous à Saint-Malo, sur la plage et puis on dîne là-bas, a tenté papa.

J'ai vu les yeux d'Ulysse s'agrandir d'envie, il s'est tourné vers moi, suppliant. Je n'avais aucune envie de me promener en famille mais je me suis rendu compte que, si je refusais, je condamnais tout le monde à rester à Combourg, suspendus qu'ils étaient au moindre de mes états d'âme. C'était insupportable, j'étouffais mais je n'avais pas le choix. Je me suis tournée vers Ulysse.

– T'as vraiment encore envie de bouffer des crêpes, toi?

– S'te plaît…

– OK pour Saint-Malo!

Mamie est montée faire la sieste sans nous jeter un regard.

Ulysse est venu se coller contre moi en murmurant «merci». Je me suis dit qu'à sa place, j'aurais détesté avoir une sœur qui faisait brusquement la pluie et le beau temps dans ma vie.

On n'a pas pu se balader sur la plage. C'étaient les grandes marées. Des vagues énormes déferlaient sur le Sillon, explosaient puis s'écrasaient avant de lécher doucement le bitume. Le vent soufflait avec rage, faisant gonfler nos imperméables et rougir notre peau. Ulysse, les yeux brillants, a demandé qu'on longe quand même la mer jusqu'au bout du Sillon. Mes parents ont refusé. Trop dangereux. J'ai plaidé en sa faveur, il y avait plein de monde et déjà la marée redescendait. Comme prévu, j'ai obtenu gain de cause.

On est partis devant, Ulysse et moi, suivis par nos parents qui auraient sans doute préféré être au chaud près du feu avec un bon bouquin.

Je l'ai pris par la main, on s'est mis à courir. Il y mettait toutes ses forces et toute son énergie, un sourire indécis entre peur et plaisir flottant sur son visage, je me suis laissé comme lui emporter par le vent qui nous poussait dans le dos, puis nous tournait autour et revenait nous gifler de plein fouet, aussi fort que les vagues qu'on a d'abord évitées, sautillant, nous collant contre le mur, et reprenant la course, essoufflés, de plus en plus mouillés et puis s'enhardissant, on s'est approchés plus près, guettant la prochaine vague, elle grossissait au loin, creusant du vide comme prenant son élan, avant de se briser dans un énorme fracas, immense, se hissant haut, tellement plus grande que nous qu'elle heurtait brutalement, menaçant chaque fois de nous faire perdre l'équilibre, ou de nous emporter.

Je n'ai pas vu que l'émerveillement avait quitté ses yeux, ni qu'il s'était mis à trembler. Je continuais à défier l'océan avec fébrilité quand il m'a soudain tirée par la main.

– On rentre ?

Il grelottait, ses lèvres avaient bleui, j'ai eu peur.

– Hé, bibou, pourquoi tu m'as rien dit ?

– T'entendais rien ! Je veux voir maman…

Je l'ai serré dans mes bras, et j'ai rebroussé

chemin en courant, le cœur battant. Comment avais-je pu ne me rendre compte de rien ?

Ma mère a blêmi quand elle nous a vus réapparaître. Il a tendu les bras vers elle et s'est blotti contre sa poitrine en pleurant.

– Tout va bien, ai-je réussi à bredouiller. Il a juste eu un peu peur.

– Mais qu'est-ce qui s'est passé ?

– Rien, je te jure, papa…

– Alors pourquoi il pleure ?

Ils me jetaient tous les deux des regards soupçonneux et dans leur voix pointait une colère accusatrice.

Ulysse a relevé la tête et m'a toisée en criant :

– C'est parce qu'elle est folle, elle est folle, folle, folle !

Ça nous a coupé le souffle, à tous les trois. Il s'était mis à pleuvoir à grosses gouttes. On est restés là, immobiles sous la pluie, stupides et malheureux.

Et puis maman a reposé Ulysse sur le sol. Elle a dit d'une voix ferme :

– Tu dis des bêtises, Ulysse. T'as eu peur, voilà tout…

Il m'a tourné le dos, et on est repartis vers la voiture, le cœur lourd.

Je ne sais pas quand j'ai pris la décision, ni comment. Je ne crois pas me l'être formulé, c'est venu tout seul. La nuit, j'ai fait mes bagages, j'ai décidé de prendre mon violon et quelques affaires de cours. En descendant à l'aube, j'ai piqué la carte bleue de mon père et je me suis retrouvée sur la route à faire de l'auto-stop pour aller jusqu'à la gare. Avant de monter dans le train, j'ai composé le numéro de l'hôpital. Je leur ai dit ce que je voulais. Ils m'ont parlé du centre maternel.

Je leur avais laissé un mot sur la table de la cuisine.

Papa, maman,
J'ai décidé de partir. Je vais chercher Noé. Je ne reviendrai pas à la maison. Je vous tiens au courant. Ne cherchez pas à me joindre avant. J'ai besoin d'être seule pour faire ça.

Pardon.

Louise

Je n'aurais jamais dû fourrer mon nez dans cette histoire. Après tout, je connaissais Louise de loin, on n'était pas si proches, j'avais de bonnes raisons de tout laisser tomber. Mais je ne sais pas pourquoi, c'était plus fort que moi, il fallait que je comprenne.

C'est devenu une véritable obsession. Quelqu'un savait, j'en étais sûr, ça suffisait à me rendre fou. Je ne voyais pas qui pouvait en vouloir à ce point à Louise pour la laisser seule avec ce qu'elle vivait. Je pouvais encore admettre qu'on soit lâche et minable. Mais pour tomber si bas, fallait avoir une bonne raison, et la seule plausible, c'était que ce type avait peur.

Jusque-là, mon raisonnement tenait. Mais de qui s'agissait-il, qui pouvait … ?

Je n'osais pas aller plus loin dans mes suppositions, c'était trop dégueulasse d'imaginer…

Et puis d'autres questions arrivaient. Pourquoi Louise se taisait? Qui donc elle protégeait ? Et quel secret valait un sacrifice pareil?

Ça ne tenait pas debout, rien ne tenait debout. Je revenais au point de départ, ce n'était peut-être pas quelqu'un qu'elle connaissait…

Mais alors pourquoi ne pas le dire? Forcément, il y avait un secret, forcément, mais lequel?

J'avais bien essayé d'en parler avec Mélina. Mais c'était impossible, elle était incapable de tenir plus de cinq minutes sans se mettre à trembler et puis à fondre en larmes.

Ça venait de ce qu'on avait découvert dans le portable de Louise, elle appelait ça *une trahison sans nom.* Et ça la faisait piquer des colères effroyables. Ou alors elle boudait comme une gamine déçue, elle ne voulait plus en parler, faire comme les autres, essayer de ne plus y penser puisque *ça* nous dépassait… Dans ces moments-là, elle refusait mes appels, ça durait un jour ou deux et puis, soudain, elle m'appelait en pleine nuit, il fallait absolument qu'on se voie, j'étais le seul à qui elle pouvait en parler. «Pourquoi elle m'a fait ça?»

Je lui ai dit que c'était pas à moi qu'il fallait qu'elle demande.

– Pourquoi tu l'appelles pas?

Elle faisait non de la tête avec obstination, elle avait son orgueil, et puis pour lui dire quoi?

«On n'a plus rien à se dire, qu'elle me rétorquait, ce qui est fait est fait. »

J'avoue qu'elle me fatigue.

En sortant de ce café après avoir parlé aux parents de Louise, on s'était dit qu'en lisant ses messages, on trouverait quelque chose qui nous mettrait sur la piste. Alors on a tout lu et on s'est retrouvés sur le trottoir avec le sentiment d'avoir fait un truc moche.

On n'avait rien appris sauf des choses que Louise avait choisi de garder pour elle. On avait décidé de rien dire à personne mais ça ne suffisait pas, puisque nous, on savait.

Ça ne me lâchait plus.

Louise avait caché tant de choses. Elle avait la volonté farouche d'entretenir avec chacun d'entre nous une relation à part, singulière et secrète. Comme si elle était faite d'une multitude de mondes étanches, refusant de faire des liens, préservant sa part d'ombre.

D'abord, il y avait des petits trucs, des secrets sans importance... le jeu avec Marius qui consistait à résoudre les problèmes de Bindenbaum en se posant des colles encore plus difficiles...

Et puis les rendez-vous avec Léonard pour faire de la musique ensemble. Tous les samedis matin ou presque, pendant qu'on était tous en train de faire la grasse matinée, ils se retrouvaient pour jouer du Bach, du Schumann ou des sonates de Franck.

Léo ne faisait pas vraiment partie de notre bande. Je crois bien que j'avais jamais su qu'il jouait du piano. C'était un type transparent, pas très drôle et pas très beau non plus. Il ne s'était rien passé entre eux. Ils avaient juste projeté de partir dans les Alpes pour faire un stage musical… mais Louise avait préféré camper avec Mélina en Bretagne pendant le festival des Vieilles Charrues. Léo n'en avait rien su, et Mélina non plus. Ça l'avait mise hors d'elle qui se souvenait des soirées à parler de ces vacances et de se rendre compte que Louise ne savait pas encore ce qu'elle choisirait. Moi, je l'imagine hésitante, ne sachant pas ce qu'elle voulait, paniquée à l'idée de décevoir quelqu'un. Mélina, au contraire, y voit la preuve tangible de son égoïsme. Elle dit que Louise prend du plaisir à être au centre de tout. Elle n'a peut-être pas tort. Mais je crois bien qu'à sa place, moi aussi je prendrais du plaisir à attirer les regards. Sauf qu'à moi, c'est jamais arrivé, à Mélina non plus.

Notre plus grosse surprise, c'est son histoire avec Romain. Ils sont sortis ensemble pendant tout l'hiver et n'en ont rien dit à personne. On a compris tout de suite pourquoi ils s'étaient cachés. Thibaud aurait perdu d'un coup son ami d'enfance et l'amour de sa vie.

Ils ont rompu juste avant l'été, on n'a pas réussi à savoir lequel des deux a jeté l'autre, mais je parierais ma chemise que c'est sa décision à elle… Louise n'est pas de celles qu'on quitte.

Pendant qu'on lisait leur longue liste de textos, on a eu le temps d'imaginer que c'était lui le père de l'enfant. Y en avait tellement qu'on avait du mal à suivre. Ça donnait l'impression qu'ils se parlaient à peine quand ils étaient ensemble. C'était sans doute plus facile pour Romain de dire ce qu'il éprouvait quand elle n'était pas en face de lui. Et puis on a lu ça :

POURQUOI TU VEUX PAS ?
JE SUIS PAS AMOUREUSE

C'est peu de temps après que les SMS se sont arrêtés. On était en mai. Ce qui veut dire qu'elle était déjà enceinte.

Elle avait donc été amoureuse… Mais de qui ?
Et à quoi est-ce qu'elle jouait ?

Ce soir-là, il y avait une soirée chez Stan. Il habite un grand loft désert que ses parents lui laissent quand ils partent en voyage pour le boulot. Et ils ont l'air d'avoir un boulot très prenant.

Il était plus de vingt-trois heures quand je me suis pointé. Jusqu'au dernier moment, j'ai pensé ne pas y aller.

J'ai envoyé un texto à Mélina :

T OU ?

Elle a répondu aussitôt:

CHEZ STAN, KESTU FOU?
KOMEN CA SPASSE?
JSUI MAL
JARRIV
.OK… JTATTEN

J'avais le ventre noué quand j'ai poussé la porte. Mais à ma grande surprise je me suis rendu compte que tout avait l'air normal. Il y en avait une dizaine qui dansait, les autres étaient éparpillés par petits groupes, à rire, à boire, à grignoter comme si de rien n'était.

Stan m'a fait un signe de loin auquel j'ai répondu. On s'aimait pas vraiment, on se tenait à distance en évitant de se parler, mais je dois lui accorder qu'il n'a jamais rien fait pour m'empêcher de venir à ses soirées.

Mélina est venue s'accrocher à mon cou, j'ai compris qu'elle avait trop bu.

– Ça va? j'ai demandé, inquiet.

– Nooooooon…

J'ai poussé un soupir. On ne s'en sortait pas, ça tournait en rond, je n'en pouvais plus. Je me suis dégagé de son étreinte, en la repoussant un peu trop fort, j'ai eu l'impression d'étouffer.

– Qu'est-ce qui te prend? elle m'a demandé, surprise.

– Rien, lâche-moi, c'est bon, quoi…

J'avais imaginé que je pourrais traîner du côté des garçons. Qui sait si je n'arriverais pas à les faire parler un peu…

Mélina en avait décidé autrement. Elle ne me lâchait pas. Elle a repris sa rengaine favorite :

– Je lui pardonnerai jamais…

– Et tu penses qu'elle en a quelque chose à foutre, là où elle est, avec ce qui lui arrive ?

Elle m'a fusillé du regard et puis elle a lâché, entre ses dents :

– Elle a que ce qu'elle mérite.

Ça m'a mis hors de moi.

– T'as dit quoi là ? Vas-y, répète un peu pour voir, et dis-le fort cette fois en me regardant dans les yeux… parce que si c'est ça que tu penses…

Elle a fait non de la tête.

– Je déconne, je suis nulle, excuse-moi…

– Je t'excuse pas, Mélina, je t'excuse plus, j'en ai marre, je comprends pas ce que tu cherches… On dirait que c'est à toi qu'il est arrivé quelque chose, tu te rends compte ? C'est ça, l'amitié que t'as pour elle ?

Elle a baissé la tête. Subitement, j'ai eu la certitude d'avoir touché juste, *il lui était arrivé quelque chose,* je l'ai prise par les épaules.

– Tu sais… je suis sûr que tu sais…

Elle a reculé d'un pas comme si je la brûlais.

– Mais je t'emmerde, arrête, t'es complètement dingue, qu'est-ce que tu veux que je sache ?

Elle m'avait hurlé dessus et, malgré la musique, tout le monde s'est retourné vers nous, surpris.

Ça nous a stoppés net. Ni l'un ni l'autre, nous n'avions envie que quelqu'un se mêle de ce qu'on était en train de se dire. Alors, on a souri, crispés, et on a fait semblant de trouver ça très drôle. Ils y ont tous cru, ils sont retournés à leurs conversations là où ils les avaient laissées, le seul qui s'est glissé jusqu'à nous, c'est Stan et rien que de le voir s'approcher, j'ai senti le malaise que ce mec-là provoquait chez moi.

– Qu'est-ce qui va pas, poulette ?

Il avait pris Mélina dans ses bras avec tendresse, doucement mais j'avais l'impression de l'entendre siffler comme un serpent. Qu'est-ce qu'il cherchait à savoir ?

– Rien, c'est Louise…, a roucoulé Mélina.

Je me suis demandé comment ce type faisait pour rendre toutes les filles aussi idiotes que des poules chaque fois qu'il leur adressait la parole.

Mélina m'a jeté un regard par en dessous. Je ne sais pas ce que ça voulait dire, j'étais juste mal à l'aise. J'aurais jamais imaginé qu'elle puisse être jalouse de Louise à ce point-là. Finalement, toute cette histoire lui permettait de faire l'intéressante. J'étais pas loin de lui foutre une paire de claques.

Forcément, Stan sentait la tension qu'il y avait entre nous. Il avait envie d'en jouer, c'est même le genre de situation qui le fait kiffer grave.

Il n'a même pas eu besoin de parler, il s'est contenté de glisser sa main dans ses cheveux et de lui caresser la joue. Plus loin, j'ai vu Charlotte, sa meuf du moment, devenir blême. Mais comment on pouvait être accro à un type aussi malsain ?

– En fait, Samuel et moi, on a vu ses parents à l'hôpital et...

Elle m'a jeté un regard hésitant. Et elle a continué :

– Louise dit qu'elle n'a jamais couché avec personne...

Il a eu l'air surpris.

– Mais pourquoi elle dit ça ?

– On sait pas... et justement, on se demande pourquoi...

J'ai vu quelque chose briller dans les yeux de Stan, j'en suis sûr, mais j'aurais bien été incapable de dire ce que c'était.

C'était si imperceptible que j'ai cru avoir rêvé. Il s'est tourné vers moi.

– En fait, vous êtes en train de me demander si je sais quelque chose.

Il a ricané :

– En tout cas, c'est pas moi, c'est pas Thibaud non plus vu le mal qu'elle lui a fait et que ça lui fait encore. Mais si tu veux savoir ce que je pense, je me demande à quoi elle joue, la Louise. C'est rien qu'une petite allumeuse !

– Arrête, Stan, tu dis n'importe quoi.

Elle était devenue blanche comme un linge.

– Tu sais bien que c'est pas la vérité…

– La vérité ?

Il avait déjà l'air de penser à autre chose.

– Pense ce que tu veux, ma chérie, moi, les grands mots, c'est pas pour moi, y a que la vie qui compte…

Et il s'est levé, feignant d'être happé par un groupe de gens qui venaient d'entrer et que j'avais déjà croisés à d'autres fêtes chez lui. Des potes de sa sœur qui travaillent dans la mode, qui ont entre cinq et dix ans de plus que nous, sympas, et beaux, sans doute très riches. J'ai vu les yeux de Mélina qui clignotaient, mais elle était trop saoule pour se remettre à danser. Elle a rejoint Charlotte et elle s'est jetée dans ses bras. Et franchement, moi, j'ai renoncé à comprendre ce que ça signifiait.

Je suis allé me servir un grand verre de vodka. Dans un coin à l'autre bout de la pièce, Thibaud, Romain, Marius et Léonard me fixaient d'un œil terne. Ils avaient l'air sincèrement affectés. Je me suis approché.

– Bien ou quoi ?

– Et toi ? a marmonné Léonard.

– Bah comme vous…

– Ouais…, a lâché Thibaud, on est sonnés.

Je me suis adossé sur le rebord de la fenêtre et j'ai regardé dans la même direction qu'eux. Tout le monde se déchaînait sur *No Stress* de Laurent Wolf.

Je ne suis pas un fan de techno mais, cette fois-là, ça nous allait bien de nous étourdir de musique. Romain battait le rythme du bout des pieds, Léo tirait sur un joint qu'il a filé à Thibaud. Il n'y avait que Marius qui avait l'air de tenir debout.

De temps en temps, je jetais des coups d'œil en direction de Romain. J'étais en train de me demander si j'allais lui parler quand la voix des Jackson 5 a plané au-dessus de nous. C'était une des chansons préférées de Louise...

I'll be there to comfort you,
Build my world of dreams around you,
I'm so glad that I found you
I'll be there with a love that's strong
I'll be your strength, I'll keep holding on

Et oh, je serai là pour te réconforter,
Construire mon monde de rêves autour de toi,
Je suis si content de t'avoir rencontrée
Je serai là avec un amour puissant
Je serai ta force, je tiendrai le coup

J'ai eu soudain l'absolue certitude d'avoir découvert la vérité. Je pense que le verre de vodka y était pour beaucoup. Parce que c'est quand même rien que des paroles pleines de miel et de bons sentiments. Mais en même temps, c'est vrai que Louise était toujours là pour les autres, pour tout le monde, elle n'avait jamais lâché qui que ce soit, c'était sa force et nous, en face, on avait juste l'air d'une bande de minables.

J'ai posé ma main sur le bras de Romain qui a sursauté. Je lui ai fait signe que je voulais lui parler. J'avais rougi jusqu'aux oreilles, mais il n'a pas eu l'air de l'avoir remarqué.

On est allés dans une chambre à l'étage.

– Qu'est-ce qui se passe, mec?

– Faut que je te parle...

Je me suis assis sur un bord du lit, mais il est resté debout comme pour me signifier qu'il n'avait pas l'intention de s'éterniser avec moi.

– En fait... je sais pour Louise et toi.

Il a juste hoché la tête en regardant ailleurs.

– J'ai pas couché avec elle. Point barre, c'est pas moi.

– Je sais. Mais vous étiez ensemble en janvier. T'as rien remarqué?

– Je te dis que j'ai pas couché avec elle. C'est tout.

Et il a quitté la pièce sans ajouter un mot.

Peut-être qu'il savait quelque chose. Peut-être pas.

Je n'avais pas avancé. Mais ma certitude que quelqu'un dans cet endroit en savait plus qu'il ne voulait l'avouer n'avait fait que se renforcer.

Louise est arrivée un peu avant midi, accompagnée de l'assistante sociale de l'hôpital. D'habitude, je me fie beaucoup à ma première impression, je sais d'emblée si l'autre me plaît ou pas, ça se joue sur rien, une manière de bouger, un regard, la texture de la voix...

Avec Louise, ça s'est passé autrement. Je n'ai pas réussi à savoir. Elle est d'une beauté saisissante, lumineuse et quasi irréelle. Des cheveux blond vénitien, des yeux clairs et doux, un visage rond aux traits fins, elle aurait pu servir de modèle à Botticelli. Et chacun de ses gestes est d'une grâce infinie. Du coup, ce n'est pas elle qu'on voit, c'est l'impression qu'elle fait, on est comme ébloui et ça crée une distance. Elle avait Noé sur son ventre, qui dormait dans son porte-bébé, ça semblait lui être parfaitement naturel. Je me suis présentée, elle a souri en me tendant la main, c'était simple et direct, facile et policé et pourtant quelque chose sonnait faux, j'étais sur mes gardes, incapable de croire à l'image qu'elle donnait. Ça m'a mise mal à l'aise. Je n'en ai rien montré. Je me suis calée sur sa manière d'être, adoptant un ton léger, presque mondain, pour lui souhaiter la bienvenue avec la vague impression d'être une animatrice dans un club de vacances.

Après avoir rempli les formulaires d'usage, je lui ai présenté le centre. Malgré mes efforts, je n'arrivais pas à entrer en contact avec elle. Elle se contentait d'engranger les informations sans manifester la moindre réaction. J'aurais pu tout aussi bien lui filer le règlement intérieur à apprendre par cœur, je crois qu'elle l'aurait fait, comme un automate. Et pourtant, elle souriait, attentive et sérieuse, conforme à tous points de vue. Mais elle ne livrait rien. Plus elle semblait m'écouter, et moins je la sentais là.

Noé dormait profondément. Je me suis rendu compte qu'elle le portait comme elle aurait porté un sac en bandoulière. Ça m'a fait froid dans le dos. On est descendues à la crèche qui restait ouverte vingt-quatre heures sur vingt-quatre.

– Je vais te présenter Félicité, c'est l'auxiliaire de puériculture qui va t'aider à t'occuper de Noé.

J'ai vu une lueur passer dans son regard, je ne sais pas ce que c'était, juste quelque chose de vivant. Au fond de moi, j'ai poussé un soupir. J'avais toujours eu affreusement peur du vide.

Et pour le coup, j'étais enchantée de voir apparaître Félicité qui porte si bien son prénom. C'est une femme énorme au sourire éclatant, perpétuellement joviale, chaleureuse, enthousiaste. Je ne connais personne qui ait pu résister à ce torrent de bonne humeur. En nous voyant avancer, elle a semblé aussitôt mesurer la situation et elle a déployé tous ses charmes.

– Alors, c'est toi, Mlle Louise... Oui? Tu ne réponds pas? Eh ben... tu m'as l'air bien fatiguée. Ça fait combien de temps que tu n'as pas dormi?

– Quatre jours..., a-t-elle avoué timidement tandis que Félicité lui enlevait le porte-bébé et prenait Noé dans ses bras.

– À l'hôpital, c'est ça?

– On m'a mise en pédiatrie, j'étais seule dans ma chambre.

– OK, je vois... tu dois être épuisée!

J'étais effarée. Depuis que Louise n'avait plus Noé sur son ventre, elle était devenue quelqu'un d'autre, comme si le sang s'était mis à circuler à nouveau dans ses veines. Félicité m'a jeté un coup d'œil. On pensait la même chose, mesurant l'une et l'autre combien le travail dans les semaines à venir allait être difficile. Félicité s'est proposé de garder Noé pendant la suite de notre visite.

– Ce sera plus facile pour ton installation, a-t-elle ajouté, cachant qu'elle avait vu comme moi combien ça la soulageait au contraire de ne plus en avoir la responsabilité. Je repasse te voir dans la journée, avec lui. Et puis de toute façon, tu sais où nous trouver.

J'ai vu Louise frissonner. Elle est sortie de la pièce sans un regard pour son fils.

J'ai enchaîné :

– Avant de monter dans ta chambre, on va passer à la buanderie. Jacqueline va te donner tes draps, et aussi quelques vêtements pour Noé si tu en as besoin.

– OK.

On a poursuivi notre visite. Sa chambre se trouvait au deuxième étage.

– Tu verras, c'est pas grand mais il y a tout ce dont tu peux avoir besoin.

La porte à peine ouverte, les autres filles qui étaient à l'étage se sont pointées, curieuses de découvrir la nouvelle. J'avais raison d'appréhender un peu cette première rencontre. J'ai fait les présentations. Awa, Vanina et Jennifer se sont tenues à l'écart, la toisant de haut en bas, la scrutant d'un regard brutal et sans concession, comme elles savent si bien le faire. Seule Leïla s'est montrée plus ouverte, contente de l'avoir pour voisine, un peu trop enthousiaste, d'emblée presque collante. Elle tenait Azzedine dans ses bras, Louise lui a demandé quel âge il avait.

– Deux mois et demi, a répondu Leïla fièrement. Et toi ?

– Il est à la crèche. Il a dix-huit jours.

– Seulement? s'est-elle étonnée. Mais t'es toute fine... T'as de la chance... Moi, j'ai pas perdu un gramme...

– Avec tout ce que tu bouffes, a sifflé Awa dans son dos.

Elles ont éclaté de rire. Louise s'est tournée vers elles.

– Et vous?

– Et nous quoi? a rétorqué Jennifer. Tu veux savoir combien on pèse?

Elles ont toutes ricané. J'aurais pu intervenir. Mais je savais que ça n'aurait pas forcément arrangé les affaires de Louise. Il fallait qu'elle fasse ses preuves toute seule.

Elle a éludé l'attaque en posant des questions sur l'organisation des repas, de la buanderie.

– Pour le ménage et tout, je sais pas, vous faites des tours ou c'est comme ça vient?

Awa m'a jeté un regard gêné. La veille, on avait dû s'interposer dans une bagarre violente qu'elle avait eue avec Vanina. Je suis intervenue:

– Ben, réponds Awa, fais pas la timide...

– Vas-y, lâche-moi...

Vanina est venue à son secours:

– On sait pas, en fait... C'est un peu comme ça vient mais bon, on a encore des progrès à faire...

Sa réunion projet était dans quelques jours et elle avait beaucoup de choses à se faire pardonner. Elle a lancé:

– T'as qu'à manger avec nous, ce soir, si tu veux. Leïla a fait un couscous…

– Et le couscous de Leïla, a enchaîné Jennifer, ça ne se refuse pas.

– D'accord, a répondu Louise.

Franchement, pour un début, j'ai trouvé que ça se passait pas trop mal.

On a continué notre visite en passant chez Sophie, la psychologue du service, qu'elle devrait aller voir deux fois par semaine.

– On va faire comme ça au début.

Je savais qu'elle allait très vite apprendre que les autres n'avaient pas été soumises au même régime. Mais pour Louise, toute l'équipe avait décidé que ça s'imposait. Et comme elle semblait tout accepter sans broncher, je me suis dit que, tant que ça durait…

– Tu veux te reposer un peu ?

– Non, ça va, merci.

– Alors, on peut peut-être aller faire quelques courses pour aménager ta chambre ?

– OK.

– Bon ben viens, on redescend au parking.

Cette fille faisait toujours mentir mes impressions. J'aurais juré qu'elle avait envie de se retrouver seule dans sa chambre. En même temps, elle devait avoir plongé dans un désespoir sans nom si bien que la solitude lui faisait peur. À moins que de se retrouver au milieu des filles…

– Tu sais, il y a un code de bonne conduite entre

les filles, ici. Quand on ferme sa porte, personne ne vient te déranger. Vous avez toutes des moments où…

– Je sais.

J'ai compris qu'il était encore trop tôt, bien trop tôt, pour aborder des questions personnelles.

On était arrivées dans la cour quand je l'ai vue perdre soudain l'équilibre. Elle s'est d'abord adossée au mur à côté d'elle et, l'instant d'après, elle était allongée. Je me suis précipitée, elle avait les yeux grands ouverts :

– Excuse-moi… ça m'arrive de temps en temps depuis…

Je lui ai pris la main.

– Ça va aller ? Je vais appeler quelqu'un.

– Non !

Elle m'a retenue, de toutes ses forces et elle a murmuré :

– Ça va passer, c'est juste un vertige, je ne veux pas tomber dans les pommes, je veux pas que tu t'en ailles.

J'ai fait comme elle me demandait. Comme elle l'avait prévu, petit à petit, elle est revenue à elle. Elle a fini par se relever et a insisté pour qu'on aille faire les courses.

Je dois dire que cette fille m'impressionne. Dans ma main, j'ai senti sa volonté à vivre et à lutter pour assumer ce choix beaucoup trop grand pour elle. À son âge, je me suis dit, j'aurais jamais su, moi, être aussi forte qu'elle.

C'est étrange comme je perds la notion du temps. Ça fait quinze jours que je suis ici. Une éternité. Même s'il me semble que je ne suis pas encore tout à fait arrivée. Même si je sais qu'un jour, il me faudra repartir. Un peu comme si j'étais en vacances dans un lieu inconnu, à jouer un rôle que je n'ai pas choisi dans une pièce de théâtre. Sauf que le sujet de la pièce, c'est un morceau de ma vie dont j'ai perdu le texte, alors je tourne en rond, je piétine, je bafouille mes répliques avec application en attendant d'y croire. En attendant surtout de retrouver le fil. Parce que je veux savoir, et un jour je saurai, je me le suis promis, c'est ma seule certitude, c'est tout ce qui me reste.

Je me sens presque bien ici où je ne devrais pas être, enfermée dans un cocon douillet, protégée d'un monde où j'ai perdu ma place. Ils sont tous très gentils, attentifs, se gardant de me poser la moindre question. Ils font avec ce qui se passe, un instant chassant l'autre. J'avance comme une funambule, et quand je tombe, ils me ramassent, quand je marche, ils me soutiennent, et si je souris, ils applaudissent des yeux, c'est comme des éclats de lumière où le souvenir d'un plaisir à vivre me revient et puis s'efface...

Les premières nuits, Noé est resté à la crèche. Virginie et Félicité m'ont « obligée » à le laisser. Je devais, disaient-elles, d'abord penser à moi, dormir, me reposer. Comme si je faisais partie de ces mères qui ne supportent pas d'être séparées de leur enfant. J'ai obéi. Mais aucune de nous trois n'était dupe. Il s'agissait seulement de protéger Noé. Je ne sais pas ce qu'elles savent, mais ce qu'elles ont vu leur a sans doute suffi.

Elles ont commencé comme ça, par structurer scrupuleusement mon emploi du temps. J'avais rendez-vous avec lui deux fois par jour. Je m'y suis rendue chaque fois qu'on me le disait. Jamais plus. À dix heures et à seize heures, je descendais à la crèche, ça me faisait le même effet que de me rendre en cours, on y va sans y croire, juste parce que c'est obligatoire, on y reste, on apprend quelque chose ou bien on n'apprend rien, en tous les cas, ça se passe, parfois même plutôt bien.

Mes parents sont venus dès les premiers jours. Ils m'ont apporté une valise de vêtements et quelques ustensiles de cuisine pour aider à mon installation.

Devant eux, j'ai senti la douleur revenir, brûlante et destructrice. Le simple fait de les voir me ramenait à ma vie d'avant. Ils me regardent de l'autre côté de la rive, la rive des gens normaux et sans histoires, ils disent qu'ils me comprennent et ne comprennent rien, je le sens. Comment leur faire admettre que j'ai besoin d'être seule, loin d'eux et dans un endroit neutre? Maman avait un cadeau pour Noé comme s'il faisait déjà partie de notre famille, comme si j'allais bientôt revenir à la maison. Avec lui. Mais rien que d'imaginer Ulysse tenant Noé dans ses bras je sombre dans un chaos où je perds toute raison d'exister. Comme si un monstre m'avalait tout entière, je n'ai plus de nom, plus de place, je suis redevenue la fille de mes parents, l'enfant que je n'ai pas voulu est devenu le leur, il porterait leur nom, il deviendrait un frère, l'enfant de ma mère, tout rentrerait dans un ordre que je n'ai pas voulu, et qu'on n'en parle plus. J'ai refusé son cadeau, je ne sais pas quoi faire d'autre, refuser, je suis sortie en pleurant. Depuis, ils prennent de mes nouvelles en appelant Virginie. Je ne sais pas ce qu'elle leur dit et je ne veux pas le savoir.

Mis à part mes rendez-vous à la crèche, je n'ai pas grand-chose à faire. Et si les trois ou quatre premiers jours, j'en ai bien profité, c'est vrai qu'après, j'ai fini par trouver le temps long. J'ai vu la psy deux ou trois fois, on cause de tout et de rien, je suis sortie de son bureau chaque fois qu'elle a essayé de me faire parler sur ce qu'elle appelle les événements récents.

C'est la première fois de ma vie que je suis aussi désœuvrée. Je m'ennuie, j'erre d'un étage à l'autre, incapable de rien faire, les livres me tombent des mains, la musique me tape sur les nerfs, et chaque fois que je sors, je suis prise de vertiges. *Mais qu'est-ce que je fous là ?*

J'ai alors l'impression de m'être mis toute seule les menottes aux poignets. Mille fois, j'ai projeté de me barrer et de tout planter là, et mille fois, j'ai renoncé. *Faire quoi et aller où ?* On ne se fuit pas soi-même.

Le seul moment qui est un peu léger, ou comme sans conséquence, c'est quand je rejoins les autres filles le soir dans la petite cuisine. Pourtant, ça n'est pas simple. J'avais imaginé qu'on deviendrait copines. Mais elles se méfient de moi. Elles m'observent beaucoup et parlent dans mon dos. Parfois quand j'arrive, elles se taisent, marquant ostensiblement une distance. Au début, j'ai cru que c'était parce que j'étais nouvelle. Et puis j'ai compris que c'était plus que ça. J'avais fui leurs questions, je n'avais rien livré, ni de ma vie d'avant, ni de mon amoureux, encore moins de ma grossesse. En plus, elles m'ont vue tomber plusieurs fois à cause de mes vertiges. Je crois qu'elles me trouvent bizarre.

C'est Awa un soir qui m'a attaquée frontalement :

– Tu prends jamais Noé avec toi ?

J'ai blêmi. Elle a enchaîné :

– Non, c'est vrai, quoi, je me souviens au début avec Kadiatou, on était collées, c'était ouf !

Jennifer et Vanina me jaugeaient, un petit sourire en coin. Le silence est tombé. J'avais le cerveau à l'arrêt, incapable de répondre. C'est Leïla qui est venue à mon secours :

– C'est parce que t'as des problèmes de santé ?

J'ai lâché dans un souffle :

– Oui...

Elles ont laissé tomber. Mais le signal était clair. Je n'étais pas normale, en tout cas, pas comme elles. Elles n'ont peut-être pas tort. En les écoutant, j'ai souvent l'impression qu'elles ont déjà mille ans, alors que Jennifer, par exemple, en a tout juste seize. Elles ont quitté l'école depuis un bon moment et l'urgence est de trouver de l'argent. Elles se refilent des tuyaux sur les aides sociales auxquelles elles ont droit et passent le plus clair de leur temps en démarches en tous genres, de la CAF à Pôle emploi. Je découvre un monde que je ne connaissais pas, je ne fais que les écouter, je me sens comme une étrangère et j'ai honte. Parce que ce qui nous sépare, c'est bien plus que leur passé compliqué et cette vie au quotidien si âpre. Parce que tous les matins, elles savent pourquoi elles se lèvent, elles le savent sans même se poser la question. Elles aiment leur enfant plus que tout.

Moi pas.

Moi rien.

Honte d'être qui je suis et de ne pouvoir le dire.

Quand je descends à la crèche, je préfère arriver quand il dort.

Je prends un petit tabouret, je m'assois au pied de son lit et je le regarde à travers les barreaux. Il me semble qu'on est chacun à notre place, séparés l'un de l'autre. Quand il ne sait pas que je suis là, quand il ne demande rien, je supporte de le voir, je peux même le regarder respirer, et apprivoiser en secret cet étonnement de le savoir en vie. C'est comme si j'avais froid, je frissonne, je me crispe, le frisson ne passe pas. Je lui ai acheté un doudou. J'avais vu dans tous les autres lits des peluches en tous genres. Le sien était tout nu, j'ai trouvé ça injuste à moins que je n'aie eu peur du regard des autres ou que la honte encore ne vienne me rattraper. J'ai choisi un petit lapin blanc parce qu'il était très doux. Je n'avais pas remarqué qu'avec ses longues oreilles qui retombent sur ses pattes, il a l'air effroyablement triste. Je l'ai posé dans son lit. Il est trop neuf, il a le regard fixe, je crois qu'il me fait peur.

Et puis, soudain, voilà que le bébé se tortille, les yeux encore fermés, et son visage se fripe et n'est plus que grimace, ses petits poings battent l'air, il tend ses jambes, les replie et les tend à nouveau, les yeux toujours fermés, il s'agite, ronchonne et fait des bruits bizarres, petits couinements plaintifs, et soudain la bouche s'ouvre, grande ouverte, c'est un gouffre, il se met à crier, je me lève, je le prends dans mes bras, il braille encore plus fort, je cherche Félicité du regard, elle s'approche et me tend le biberon en souriant, confiante, tout ça, c'est donc normal, c'est pas à cause de moi, il prend la tétine, il tète, ne me quitte pas des yeux, je ne sais pas ce qu'il me veut ou je ne le sais que trop, je ne peux pas, bébé, je ne peux pas te donner ce que tu me demandes, contente-toi du biberon, finis vite, finis-le, va dormir, retourne dans ton berceau, d'où tu viens, va-t'en et ne compte pas sur moi, jamais, je ne te donnerai rien, je ne peux pas, Félicité s'approche et me prend le bébé des bras, qui s'est mis à pleurer, refusant le biberon, tout rouge, vociférant, hurlant de toutes ses forces et cette force-là m'affole, dans les bras de sa nounou qui chantonne et lui parle, il tète à nouveau, tranquille, apaisé, loin de moi, et je peux le regarder, ça redevient possible.

Après, c'est plus facile, je le porte sur mon épaule en attendant son rot, c'est une petite boule, et on ne se voit pas. Et puis, il faut aller le changer, je me concentre sur les gestes comme on me les a appris, je le fais, c'est facile, même quand il pisse en l'air, arrosant tout autour, je recommence, je le rhabille, et puis je vais le poser dans un transat au milieu des autres qui jouent autour de lui. Félicité m'encourage pour un rien, et puis elle ajoute qu'il faut que je lui parle, que je gazouille avec lui pendant que je m'en occupe. Le fait est que je n'entends rien de ce qu'il me raconte. Quand il est avec moi, il me semble qu'il se tait. Tous les deux, nous savons les raisons de notre silence. C'est ce qu'on a en commun, notre manière à nous depuis le début de ne pas être ensemble. Je crois qu'il le sait, j'en suis sûre, mais ce ne sont pas des choses que les nou-nous peuvent comprendre.

Quand je suis assise au milieu des coussins et que le bébé est au milieu des autres, ça va mieux, je veux dire que je me sens presque bien. Les plus grands, ceux qui marchent, viennent près de moi et je joue. La petite Kadiatou, la fille d'Awa, m'apporte chaque fois qu'elle me voit la même boîte de cubes. Ensemble, on fait une tour, du plus gros jusqu'au tout petit tout en haut et de plus en plus haut, et ses yeux s'écarquillent chaque fois un peu plus, la tour est bientôt plus haute qu'elle, elle en tremble, elle en rit, elle sautille, et on sait toutes les deux que la tour va tomber, on attend, on essaie, et elle rit et elle crie quand enfin ça s'écroule, elle me dit, « recommence », et on refait la tour, une fois, deux puis dix, jusqu'à ce qu'elle s'en aille comme elle est venue et, le lendemain, elle revient avec la même boîte de cubes, « encore » ! C'est une petite fille aux larmes qui ne sèchent pas, elles n'en finissent pas de rouler sur ses joues. Félicité m'a dit qu'elle doit se faire opérer un peu après Noël. C'est drôle qu'elle m'ait choisie, en fait ça me plaît bien. Je n'en parle jamais avec Awa et quand sa mère est là, Kadiatou m'ignore.

Je dors mal, ça me ronge de l'intérieur.

Une nuit, j'ai fini par me lever, je suis allée à la fenêtre que j'ai ouverte en grand, je manquais d'air alors je suis sortie de ma chambre, j'avais besoin de marcher. Je suis tombée sur Leïla qui faisait chauffer un biberon dans la cuisine. Elle avait Azzedine dans les bras.

– Ça va pas ?

J'ai tenté un sourire.

– Ça se voit tant que ça ?

Elle a hoché la tête.

Je l'ai regardée s'occuper de son bébé avec des gestes lents, tranquilles et tellement pleins d'amour. Elle s'est assise en face de moi pour lui donner le biberon.

– Il fait pas ses nuits ? j'ai demandé.

– Si, normalement, mais là avec les petits, ça l'a réveillé.

– Les petits ?

Elle a hésité, elle en avait trop dit et puis elle a haussé les épaules.

– Kylian et Kadiatou...

Les enfants de Jennifer et Awa.

– Elles sont sorties.

– Dehors ?

Je n'en revenais pas.

– Ouais, Jenn connaît quelqu'un qui fait une grande fête…

– Ah…

J'ai fait comme si c'était normal ou comme si je m'en foutais. La vérité, c'est que je tombais des nues.

– Elles sortent comment ? j'ai pas pu m'empêcher de demander.

– Elles rentrent pas et, le lendemain, elles attendent que ça ouvre…

– Et personne s'en rend compte ?

Elle s'est contentée de hausser les épaules en me jetant un regard amusé.

– Et toi, j'ai demandé, tu sors jamais ?

Elle a fait non de la tête, elle n'avait pas l'air de le regretter plus que ça.

– T'aurais pas envie, des fois… toi aussi de t'amuser ?

Elle a juste souri. Il y avait une telle douceur sur son visage. Je n'arrivais pas à savoir si c'était de la résignation ou si réellement elle n'avait pas envie d'être ailleurs. J'aurais tellement aimé savoir ce qu'elle pensait. J'ai hésité et puis j'ai finalement lâché :

– J'ai peur de la réunion projet.

Elle a levé les yeux vers moi, surprise. C'est vrai que je n'avais jamais parlé de moi jusqu'ici.

– C'est la première ?

– Oui.

– Alors t'en fais pas, ils vont juste définir des objectifs.

– Des objectifs de quoi ?

– Ben pour toi, par rapport à la suite…

Le bébé s'endormait dans ses bras. Je me suis sentie libre de me taire ou de parler. Elle a murmuré tout doucement :

– C'est quoi, tes problèmes de santé ?

– Je sais pas… j'ai des vertiges, et je m'évanouis comme ça, je tombe.

– Ça fait longtemps ?

– Depuis que j'ai accouché.

– Et ta grossesse ?

– Rien.

– Ça s'est bien passé ?

– Oui, comme ça quoi…

– T'étais au lycée ?

– Oui…

– Ça a dû être dur, non ? Tes amis, tes parents, tout ça…

J'ai juste pensé que ça devait forcément arriver. Ici, il n'était question que de ça. Un peu comme en prison, je me suis dit, on doit finir par dire quel crime on a commis. Alors, j'ai décidé de ressembler aux autres :

– En fait, ça s'est vu tard, ça a surpris tout le monde.

– Tard comment ?

J'ai brodé :

– Sept mois et demi.

– Avant t'avais pas grossi ?

– Non.

– C'est dingue…

– Ouais.

Elle continuait de se balancer d'avant en arrière pour bercer son bébé sans me quitter des yeux, attendant simplement que je poursuive. C'était aussi bête que ça, ça pouvait se raconter comme n'importe quelle histoire…

J'ai continué :

– Alors tout le monde l'a mal pris.

J'ai ri, un peu gênée.

– Moi aussi, forcément…

Elle a hoché la tête avec l'air de comprendre. Et elle a murmuré :

– Je sais pas comment t'as fait…

– Ben en fait, t'as pas le choix…

On a ri, complices.

J'étais juste en train de redevenir quelqu'un.

Elle a repris :

– Et le garçon ?

– Je sais pas qui c'est.

J'avais réussi à le dire en ayant l'impression que les mots restaient coincés au fond de ma gorge.

– T'es sûre ?

Elle me fixait de ses yeux ronds et bienveillants. J'ai rougi en sentant les larmes me monter aux yeux. *Est-ce que j'en étais sûre?* Oui, j'en étais sûre. *Et pourtant...*

Elle s'était levée aussitôt en voyant mes yeux rouges et elle a eu ce geste étrange de me caresser les cheveux et de poser ma tête contre son flanc, comme on fait pour consoler les enfants. Elle a murmuré :

– De toute façon, ça changerait rien... il en voudrait pas, ou il dirait que c'est pas lui. Comme ils font tous et, des fois, il vaut mieux qu'ils se cachent...

– Ouais mais c'est dur, tu sais, quand c'est personne...

Elle a eu l'air de peser le pour et le contre et puis elle a renoncé.

– Je sais pas. En fait, pour tous les jours, ça change rien. De toute façon, ils sont pas là.

– Et toi, il sait ? j'ai demandé.

Elle a ri.

– Oh, moi, oui, il sait mais il est en prison pour trois ans.

Ses yeux s'étaient assombris, soudain accusateurs et tranchants comme une lame. Elle a eu l'air de balayer le problème de la main.

– Je vais me coucher, sinon demain, je vais pas tenir...

– Oui, t'as raison, excuse-moi... Bonne nuit !

Alors qu'elle passait le seuil de la porte, je l'ai rappelée :

– Leïla ?

– Oui ?

143

– Merci.

Elle a posé la main sur son cœur en souriant et elle a disparu.

Je suis revenue dans ma chambre. Je me suis allongée dans mon lit, les yeux grands ouverts. Je sentais monter une énergie nouvelle, féroce, presque vorace. Comme si ce poids qui m'écrasait depuis des jours et peut-être même des mois sans que j'en aie conscience s'était soudain levé, ou dissous.

J'avais chaud, je transpirais, comme prise d'un accès de fièvre, comme si à l'intérieur de moi se livrait une bataille dont je ne savais rien, ça se faisait sans moi, ça revenait malgré moi, c'était là, ça se réveillait, ça grondait, ça montait par vagues, ça faisait presque mal, les souvenirs revenaient, précis, aigus, je suis en cours de maths, mon ventre se déchire, je lutte pour ne pas perdre conscience, et la douleur revient, de plus en plus puissante, à me couper le souffle, je m'assois sur mon lit, je respire, cette fois je serai la plus forte, je ne vais pas me laisser faire, je vais gagner la guerre, *je veux vivre.*

La douleur s'est finalement estompée, elle est partie doucement comme elle était venue, par vagues, je la sentais encore battre sourdement dans mon ventre quand je me suis endormie.

Le lendemain, en me réveillant, je me suis rendu compte que j'avais à nouveau mes règles. Alors, j'ai fait ce truc étrange que je fais depuis que je suis toute petite quand je suis envahie par une joie intense et secrète, j'ai joint les mains en remerciant le ciel ou mon étoile à moi, celle à laquelle je m'adresse quand le sol ne suffit plus à porter mes élans.

Awa et Jennifer étaient rentrées au petit matin. Elles s'étaient glissées dans la chambre de Leïla pour récupérer les enfants, avaient dormi deux heures, les avaient habillés et conduits à la crèche. Et c'est vrai que personne n'avait rien remarqué !

Quand je suis entrée dans la cuisine ce soir-là, elles trônaient sur deux petits tabourets, à peine démaquillées, les yeux brillants d'excitation, et racontaient leur nuit à Leïla et Vanina qui buvaient leurs paroles.

Elles se sont arrêtées net en me voyant apparaître. Je mourais d'envie de rester avec elles. J'ai fait semblant de rien, je me suis servi un café, j'ai dit « ça va ? », elles ont répondu du bout des lèvres, froidement, et j'ai fait mine de sortir.

Puis Leïla a lâché :

– C'est bon, elle sait.

Awa lui a jeté un regard noir.

– Comment ça, elle sait ?

– Ben oui, elle s'est levée cette nuit… et voilà, quoi !

Je dansais d'un pied sur l'autre, ma tasse de café à la main, évitant de croiser tous ces regards qui évaluaient ma capacité à faire partie de leur groupe.

C'est Jennifer qui m'a sortie de l'impasse, impatiente qu'elle était de raconter la suite.

– C'est bon, reste alors…

Awa a eu une moue méfiante avant de décider de m'ignorer.

Je me suis adossée à un mur et j'ai retenu mon souffle. Leïla m'a fait un clin d'œil complice. *Un jour*, je me suis dit en moi-même, *je te revaudrai ça.*

Jennifer avait repris son récit :

– À deux heures, il m'a proposé d'aller faire un tour en moto. J'ai demandé à Awa si ça l'embêtait pas…

– Vas-y, je suis pas ta mère, j'm'en fous moi de ce que tu fais de ton cul.

– Qu'est-ce qui te prend ? T'es jalouse ou quoi ? Moi, je suis OK, je voulais pas d'embrouilles, pourquoi t'es pas restée à la fête ?

– Y avait plus que des mecs chelous !

Jennifer a levé les yeux au ciel.

– Bon, vas-y, j'y étais à cinq heures ou j'y étais pas ?

– Tu me casses les couilles. Je t'ai attendue trois heures à me peler dans le froid…

– T'avais qu'à rentrer !

– T'es conne ou quoi ?

Comme toujours, quand elles se parlaient, on avait l'impression qu'elles étaient à deux doigts de se jeter dessus pour s'arracher les cheveux. Et puis, ça s'apaisait, ça se remettait à rire, il suffisait d'un rien pour que ça bascule dans un sens ou dans l'autre.

Cette fois, elles ont juste pris le temps de s'allumer une clope et Awa a repris :

– Elle est comment sa moto ?

– Ouf ! Trooop classe !... Une Ninja 1000 vert pomme, toute neuve.

– Putain, où il a trouvé la tune ?

Jennifer a haussé les épaules, c'était manifestement le dernier de ses soucis.

– Je crois qu'il bosse.

Vanina a lancé, moqueuse :

– Arrête, il est serveur dans un café... Tu sais combien ça coûte une machine pareille ?

– Non... je m'en fous... On a roulé pendant des heures, on a fait le tour de Paris, à fond la caisse... J'étais collée contre lui, j'te jure, au début, j'avais peur, et puis j'sais pas, de le sentir, son corps et tout, c'est puissant... J'aurais voulu que ça dure, qu'il m'emmène loin et plus jamais revenir !

– Cui cui, les p'tits oiseaux..., a susurré Leïla, moqueuse.

– Ça va... je sais... je suis raide dingue, t'imagines ? Ça fait quatre mois déjà !

– Il t'a emmenée chez lui ?

– Non. Il est chez ses parents.

– Bah alors, vous allez où ?

– Tu veux dire pour baiser ? On se débrouille... Mais je lui ai juré que la prochaine fois, ce sera ici !

– Ici ? elles se sont exclamées toutes les trois en même temps.

– C'est Im-po-ssi-ble, Jenn, a martelé Vanina. On n'a pas les clefs de la porte qui va aux étages.

Jennifer a eu un petit sourire en coin.

– Je crois que j'ai un plan pour les avoir...

Elles m'ont jeté toutes un regard méfiant.

– Mais pour quoi vous me prenez, j'ai lancé, furieuse.

– OK, vas-y, a lancé Awa.

– Ce matin, quand on est rentrées, vous devinerez jamais sur qui on est tombées ? Sur Dan et Sylvia qui se bécotaient comme des dingues dans la lingerie à côté de la remise, en bas.

– Dan et Sylvia ?

C'était le jardinier et la maîtresse de maison. Ils avaient au moins cinquante ans tous les deux. On a fait la grimace.

– Mais ils sont pas mariés ? a demandé Leïla.

– Si et, justement, quand on les a vus, a répondu Awa, on a fait semblant de pas les voir et eux ont fait comme nous.

– Ouais, mais moi, je me suis dit qu'on pourrait leur demander ces clefs. Sinon, on balance tout...

– T'es dégueulasse, a murmuré Leïla.

– T'es qu'une pute, tu penses qu'à ta gueule, a enchaîné Awa.

Mais ça n'a pas désarçonné Jennifer.

– Non, je trouve ça cool, en fait, et t'imagines

le kiff… On pourrait sortir et rentrer comme on veut.

– Mais elles sont où ces clefs ? j'ai demandé pour faire diversion.

– Dans un tiroir à la loge. Ou sur chaque trousseau des éducs.

– Je veux bien essayer, j'ai proposé timidement.

Elles m'ont toisée de haut en bas comme elles auraient regardé une poupée de porcelaine dans un musée poussiéreux.

– Tu rigoles ?

– Non !

– Et tu vas faire comment ?

– Je sais pas, je vais réfléchir… Peut-être qu'on pourrait faire diversion à la loge.

– Avec la grosse, là ?

– Je peux au moins essayer.

Jennifer avait les yeux brillants.

– Pourquoi pas ? Et la prochaine fois, tu sors avec nous ?

Awa a ricané :

– On va amener Barbie au bal des douze princesses ?

J'ai ouvert les yeux ronds… *Barbie*, c'est comme ça qu'on m'appelait ?

Elles ont baissé les yeux, un peu gênées quand même. Seule Awa me défiait. Je n'ai rien répondu. J'ai tourné les talons, en me jurant de trouver le moyen de leur ramener les clefs.

Jennifer m'a rappelée :

– Louise, s'il te plaît, t'aurais pas cinquante euros à me prêter ? J'ai plus rien pour finir mon mois... et je vais me faire tuer si Clémence s'en rend compte.

Clémence, c'est son éducatrice et c'est vrai qu'elle n'a pas l'air commode. Et puis, de toute façon, je savais bien que je n'avais pas les moyens de négocier quoi que ce soit. J'étais en train de passer toute une série d'épreuves.

– Je te les rends dans quinze jours, je te jure.

Elles me fixaient toutes les quatre sans retenue. J'avais de l'argent, autant que j'en demandais ou presque, tandis qu'elles ramaient pour ramasser quatre sous. Qu'est-ce que je pouvais répondre ?

– Pas de problème, Jenn, je te les apporte.

– Merci, t'es trop cool.

Elle avait mis tout le miel qu'elle pouvait dans sa voix, mais il y avait dans son regard une lueur de rapace qui m'a fait froid dans le dos.

– Barbie revient de suite, ai-je lancé en sortant.

Je les ai entendues chuchoter dans mon dos.

Dans ma chambre, j'ai ouvert le tiroir dans lequel je range consciencieusement tous mes papiers importants. J'avais même fait des dossiers de toutes les couleurs pour faire face à la profusion de paperasses qu'on me demandait de remplir. Je mets mon argent liquide dans ma trousse d'école, je l'ai ouverte, il restait cinquante euros alors que j'étais sûre d'en trouver quatre fois plus.

J'ai réfléchi, j'ai pensé aux dernières courses que j'avais faites, j'ai cherché le ticket de caisse, celui de la banque, je ne comprenais pas, il en manquait bien cent cinquante. Interloquée, j'ai refermé le tiroir, en me demandant ce que j'en avais fait. Pas un instant je n'ai douté d'avoir mal calculé.

Je suis sortie avec les cinquante euros dans la main.

J'ai croisé Awa dans le couloir. Je me suis contentée de lui faire un petit sourire, mais elle m'a retenue par le bras.

– Je peux te parler ?

J'ai acquiescé, surprise.

On est retournées dans ma chambre. C'était la première fois qu'elle entrait. Elle a tourné en rond avant de me balancer :

– Je voulais te dire… Faut te méfier de Jenn…

– Quoi ?

J'ai aussitôt pensé à l'argent qui avait disparu. Elles étaient donc entrées ? Et elles avaient fouillé ? J'ai serré les poings en décidant de me taire. De toute façon, c'était impossible de prouver quoi que ce soit. Awa me regardait avec curiosité. J'ai soutenu son regard et, pour la première fois de ma vie, j'ai eu envie de me battre.

Elle a vu mon violon.

– C'est quoi, ça ?

– Un violon, j'ai répondu du bout des lèvres.

– T'en joues ?

– Avant oui…

– Et… ?

– Je sais pas, j'ai plus envie.

– T'en jouais bien ?

– Pas mal…

– Tu pourrais en tirer du fric.

– Je ne veux pas le vendre.

– Ben si tu joues plus, à quoi il sert ?

J'ai haussé les épaules. Elle m'énervait, j'avais l'impression qu'elle me narguait sans vergogne et puis j'ai vu son regard se voiler. Elle a baissé la tête comme si elle avait honte. Je n'ai pas compris pourquoi et j'ai renoncé à comprendre. J'allais la foutre à la porte mais elle est sortie avant que j'aie eu le temps d'ouvrir la bouche. Sur le seuil, elle a lancé :

– Jenn, elle joue tout aux courses, c'est pour ça qu'elle est toujours dans la dèche. Tu reverras jamais ton fric !

J'ai ouvert la bouche et puis je l'ai refermée comme un vrai poisson rouge. J'ai fini par articuler :

– Mais pourquoi tu me dis ça ?

Elle a secoué la tête.

– Je sais pas…

Elle était déjà dans le couloir. Et puis elle s'est retournée.

– Tu me fais pitié ! Ouais, c'est ça, je crois que c'est ça, t'es vraiment trop conne ! Une bouffonne ! Une vraie bouffonne ! En fait, j'avais jamais vu ça !

Et elle a disparu.

Je me suis assise sur mon lit, complètement sonnée. *Une vraie bouffonne !* C'était tellement vrai et même ça résumait si bien ma vie que j'ai éclaté de rire. *Trop, c'est trop*, je me suis dit, *va falloir que ça s'arrête!*

Je me suis levée d'un bond, j'ai presque couru pour donner à Jennifer les cinquante euros qui me restaient, devant Awa, en les défiant du regard.

– Et dis-toi bien que c'est la dernière fois! Et que c'est plus la peine de venir fouiller dans ma chambre. Y aura plus jamais un centime!

– Qu'est-ce que t'as dit là? Tu me traites de voleuse... Elle est folle, celle-là!

Elle s'était plantée devant moi en me tenant par mon pull. Ça s'est passé si vite que je ne l'ai même pas vue s'approcher. Kadiatou, surprise, s'est mise à hurler. Un autre bébé dans une chambre plus loin a enchaîné...

Awa l'a écartée.

– C'est bon, lâche l'affaire, lâche-la, je te dis...

Elle a obtempéré et je suis sortie sans leur jeter un regard.

Quelques jours plus tard, c'était ma première réunion projet.

Leïla m'a souhaité bonne chance en croisant les doigts et en me faisant un clin d'œil. Quant aux autres, elles m'ont jeté un regard noir et franche-ment menaçant. Je savais qu'elles me guettaient au tournant, *est-ce que j'étais une balance?* Et c'est vrai que j'avais de quoi toutes les faire tomber. Mais franchement, j'avais autre chose à penser.

J'ai eu un petit hoquet d'angoisse quand je suis entrée dans la pièce. Elles étaient quatre : Virginie, mon éducatrice, Félicité, la nounou de Noé, la directrice et Sophie, la psychologue. J'ai failli tourner les talons, j'ai soufflé un bon coup et je me suis assise.

En fait, il ne s'est rien passé. Elles ont juste demandé comment je me sentais, si je m'intégrais bien, j'ai souri à toutes leurs questions, j'allais de mieux en mieux, ce qui n'était pas tout à fait faux et pas franchement vrai non plus.

Et puis, elles ont parlé de Noé. Elles voulaient que j'essaie de le garder un peu plus avec moi. J'ai promis d'essayer.

– Ce soir ?

J'ai blêmi.

– Je sais pas...

Mais elles ont insisté.

C'était comme l'a dit Virginie, la progression normale de toute prise en charge. J'étais donc condamnée au progrès.

– Je veux bien essayer...

Je suis sortie soulagée et je me suis rendu compte que j'étais ridicule. Il faudrait bien m'habituer à ce qu'ici personne ne soit là pour me juger. J'avoue que c'est le plus difficile, parce que moi, ça fait un petit moment que je me suis condamnée à perpétuité. *Une bouffonne,* comme dit si bien Awa.

Ce soir-là, je suis restée tard dans la cuisine avec les autres filles. Comme si rien ne s'était jamais passé. Je ne peux pas dire qu'on se faisait confiance. Elles continuaient à me regarder de travers. Mais j'ai eu l'impression d'avoir gagné la première manche. La prochaine fois, je me suis dit, je leur ramène les clefs.

Je suis descendue un peu après minuit. Les sourcils de Félicité se sont juste froncés. J'avais promis de venir beaucoup plus tôt. Elle m'a dit que Noé venait d'avaler un biberon.

– Le prochain, normalement, ce sera vers trois heures, et après, il dort jusqu'au matin. T'en fais pas...

Je l'ai monté dans ma chambre. Je l'ai posé dans son lit et il s'est endormi. Moi, j'ai veillé en attendant au pied du lit comme je faisais à la crèche. Je ne pouvais pas dormir avec lui. C'était comme s'il me volait le sommeil, il dormait à ma place. Et puis il a chouiné. Je lui ai donné à manger. Et quand il a tout bu, je me suis allongée sur le dos, je l'ai posé sur mon ventre. C'était la première fois. Il s'est tout de suite endormi. Et moi, je n'osais plus bouger. Mes paupières étaient lourdes, mes pensées divaguaient, j'avais beau lutter, j'étais en train de m'endormir aussi. Juste avant de sombrer, j'ai eu cette sensation étrange d'attendre ce bébé.

Le lendemain, quand je l'ai apporté à la crèche, j'ai dit à Félicité que je ne le referais pas.

– Pas tout de suite, je ne peux pas !

Félicité n'a pas réagi.

Et moi, j'ai tourné les talons.

Justement, j'avais rendez-vous chez la psy. J'en avais jamais envie, mais ce jour-là encore moins que d'habitude.

Je me suis affalée sur mon lit. Je n'avais pourtant pas le choix, je le savais, je devais tenir, absolument, *et après ?*

Je me suis redressée. J'allais passer le pas de ma porte quand, sans y réfléchir, j'ai rebroussé chemin et j'ai ouvert le tiroir de ma commode. Il y avait mon portable. Je l'ai pris, je l'ai branché, il s'est mis à sonner, j'avais des dizaines de messages...

Ça sonnait encore quand j'ai fermé la porte derrière moi sans les avoir lus. *Après,* je me suis dit, oui, je m'en sentais capable.

J'ai commencé comme ça, je lui ai dit, à la psy, ce qu'elle voulait entendre, « je peux pas », je lui ai dit : « j'ai envie de le lâcher et de partir en courant. T'es contente ? C'est ça que tu veux savoir ? Eh bien maintenant tu sais ! »

J'ai enchaîné. Cette nuit-là, j'ai surtout eu la certitude que *je-ne-pouvais-pas* me retrouver seule avec lui. Je ne sais pas de quoi je suis capable. Je le regarde parfois à m'en user les yeux, je cherche sur son visage le portrait de son père, de cet enfoiré, de cet inconnu. Et je me dis que lui, ce bébé, sait ce que j'ai oublié ou plutôt ce que je n'ai jamais su. C'est si violent que je pourrais l'étouffer.

Mais un jour, je saurai, je saurai, je le jure.

Elle a soutenu mon regard. Mais elle ne m'a rien dit. Les mots sont restés en suspens dans la pièce, il me semblait à moi qu'ils résonnaient encore et faisaient trembler les murs. J'ai failli me lever et sortir pour ne plus les entendre.

Elle a fini par prendre la parole :

– C'est normal, ça arrive à toutes les mères de plus savoir quoi faire, de paniquer devant un bébé qui hurle sans qu'on comprenne de quoi il a besoin.

J'ai ricané :

– Normal ? Non, c'est tout sauf normal. Moi, je veux pas qu'il existe et je suis pas sa mère.

J'aurais voulu qu'elle s'indigne et me fasse la morale. Mais elle ne disait rien et c'était pire que tout. Je disais la vérité, je la disais enfin, telle que je la sentais, par provocation, pour en finir avec toute cette douceur dont on m'entourait depuis le début. Mais les mots qui sortaient de ma bouche, c'était à moi qu'ils faisaient mal.

C'est une chose de ressentir cette haine, une autre de s'entendre la dire.

J'ai pensé à tous ces messages sur mon téléphone, qui m'attendaient, comme si j'avais ma vie à portée de main et que, d'un coup, tout le monde m'empêchait d'y aller.

Je ne supportais plus cette tension dans mon corps. J'ai cherché des mots, une idée, comme une désespérée.

– Je crois que je vais revendre mon violon.

J'avais raté une marche. Comme si ma tête et mon corps s'étaient à nouveau désarticulés. J'ai pensé *je n'arrive plus à jouer juste*.

Alors, on a parlé musique. Je lui ai raconté les années de travail pour produire un son clair, limpide ou même juste audible, toute l'obstination qu'il fallait pour faire tomber ton doigt sur la corde à un endroit précis, le bout de chaque doigt tambourinant comme un petit marteau et tout le reste de ta main aussi souple qu'une algue pour faire vibrer ta note ; au début tu t'accroches au manche de ton violon, tes deux mains crispées comme des pinces de crabe, tu tires ton archet et ça grince, tu le pousses et c'est faux, et puis tout doucement, à force de travail, quand tu poses le violon au creux de ton épaule, tu sais qu'il a trouvé sa place, il tient seul et toi, les deux pieds plantés dans le sol, tu sens que tes mains sont plus libres, qu'elles s'accordent et peuvent mener la danse, tes doigts sautent, glissent, se croisent et tes gestes prennent soudain leur envol, ils savent bien avant toi, ils tracent leur chemin, ça t'échappe, tu ne penses plus à rien, tu files à toute allure, tu plonges dans la musique…

– Et c'est ça que tu veux revendre ? a-t-elle murmuré brusquement.

J'ai froncé les sourcils. C'est plus compliqué que ça, c'est pas juste mon violon…

Du plus loin que je me souvienne, il est avec moi, en vacances, dans ma chambre, enfermé dans sa boîte, posé là comme un reproche muet, exigeant et vorace, tu lui dois quelque chose, tous les jours, tu dois lui donner de ton temps, t'exercer, t'échiner, recommencer cent fois la même mesure, te battre avec toi-même, contre les douleurs dans le dos, l'épuisement, les tensions de chacun de tes muscles, sinon… si tu l'oublies, c'est lui qui t'abandonnes, tu n'obtiens plus rien, tu régresses, ça grince et ça fait mal, et le plaisir s'éloigne, ou ta libération, parce que c'est ça que tu cherches à mesure que tu avances, à atteindre quelque chose, comme une forme d'équilibre, le jour où on serait quittes enfin, lui et moi, mais c'est comme un mirage, et plus tu lui en donnes et plus il en demande, exigeant de plus en plus de temps, d'énergie, de sacrifices, c'est toi qu'il veut, en entier, alors que tu sais depuis toujours peut-être que tu ne seras jamais Vengerov ou Menuhin.

Alors, oui, je crois que je vais le revendre, ou même le jeter par la fenêtre et écouter le son qu'il fait, le dernier, en s'écrasant sur le sol.

J'ai frissonné, un peu effrayée d'avoir autant parlé sans penser à ce que je disais, un peu comme quand je jouais en oubliant les notes. Pourtant, je ne regrettais rien, j'appréciais le silence, je me sentais soulagée.

En attendant, j'ai soudain ajouté, il est toujours là-haut, enfermé dans sa boîte, et je crois que je suis pas prête à m'en débarrasser.

Des images revenaient, des sensations plutôt, que je savourais pour moi, en silence.

Ce jour, en mai dernier, où j'avais joué seule sous un cerisier le mouvement lent du concerto de Beethoven. Cette chose étrange que d'entendre le son se perdre dans le vent, comme happé par la lumière, un son pauvre et fragile, absurde, ne trouvant pas d'écho, se noyant avant même d'éclore, comme s'il ne pouvait cesser de m'appartenir.

Et puis, j'ai pensé à Léo, à nos matinées passées ensemble et en secret à jouer quelques sonates. On n'a jamais échangé plus de quelques mots, des banalités, sur l'école, les contrôles, parfois les fêtes à venir. Mais quand on jouait ensemble, j'avais parfois l'impression qu'on se touchait. C'était comme des caresses maladroites et timides, soudain très audacieuses, exaltées, la sensation d'être ensemble d'une manière singulière qui nous embarrassait une fois nos instruments refermés. On se quittait toujours en bafouillant et en évitant de se regarder. Dans ces moments-là, il m'est arrivé d'avoir envie qu'il m'embrasse. Pourtant, je le trouve très laid dès qu'on se retrouve dehors.

Les images, les souvenirs revenaient en pagaille. Ils se pressaient soudain, m'envahissant tout entière. Je les laissais entrer, je me suis dit, *je suis prête.*

Sophie me regardait en souriant. Elle a jeté un coup d'œil à sa montre, et m'a annoncé que c'était la fin de la séance. Elle avait l'air contente. J'ai retrouvé mes esprits et je me suis reproché d'avoir autant parlé. *Mais qu'est-ce qu'elle doit penser ?*

Je me suis levée brusquement alors qu'elle était en plein milieu d'une phrase. J'étais déjà sur le pas de sa porte quand elle a lancé :

– Louise, il faut que tu apprennes à partir...

J'ai sursauté. C'est vrai qu'avec elle, je détestais dire bonjour et au revoir. Je me jetais sur la chaise et je partais sans un regard. Je me suis excusée, mais elle n'a pas eu l'air de l'entendre.

– Écoute, à propos de Noé...

J'ai poussé un soupir. Encore... je croyais qu'on en avait fini...

– S'il est venu au monde, c'est qu'il l'a voulu avec acharnement et que ce désir-là, son désir de vivre, il lui appartient, quoi qu'il advienne.

J'ai fait oui. Je ne comprenais rien à ce qu'elle cherchait à me dire.

Je suis sortie de cette pièce avec la tête en vrac. Mon cœur battait très vite. Je suis remontée rapidement dans ma chambre.

Mon portable m'attendait. Je l'ai allumé. Et puis j'ai lu une première fois un à un tous les messages. Avant de recommencer une seconde fois, stupéfaite de les voir se raréfier au fur et à mesure des jours. J'ai eu l'impression de voir mes amis tomber dans le vide comme des petits bonshommes dans un stand de tir à la fête foraine. C'est vrai qu'au début, ils avaient tous cherché désespérément à avoir de mes nouvelles. C'était plutôt tendre et sympa, ils étaient là, disaient-ils, tu peux compter sur nous... et puis ils avaient dû apprendre ce qui m'était arrivé et avaient brusquement cessé de m'envoyer leurs petits mots.

Pas un seul n'avait eu le cran de me parler de Noé.

J'essayais de les comprendre. J'avais moi-même refusé de répondre, ils ne faisaient que respecter mon silence. *Et Mélina?* J'avais beau me raisonner, une petite voix têtue et pleine de reproches cherchait à se faire entendre. *Elle aurait pu...* Je n'osais aller plus loin. Elle avait dû se sentir trahie, elle avait dû croire que je lui avais menti, forcément... comment me faire confiance? Un instant, j'ai pensé l'appeler, je composais déjà son numéro, je me suis arrêtée net. Qu'est-ce que j'allais lui dire? La vérité, je ne la connaissais pas mais qui pouvait me croire?

J'aurais eu toutes les raisons de pleurer. Mais mes yeux restaient secs. À la place, je sentais monter une espèce de nausée, je la laissais s'installer en même temps que cette rage qui l'accompagnait. C'était quoi ce silence, qu'est-ce que j'allais en faire, qu'est-ce que ça voulait dire…? Ce n'était qu'un soupçon, quelque chose qui pointait du fond de la nuit noire, ils avaient tous décidé d'oublier, comme si je n'avais jamais existé, comme on fait avec ce qui nous dérange. À moins que je ne leur fasse peur… Et si la mémoire me revenait?

Je me suis mise à trembler. Une sueur froide coulait dans mon dos, j'avais du mal à retrouver mon souffle, j'essayais de toutes mes forces de rassembler des souvenirs, comme on cherche la lumière à tâtons. En janvier, j'étais avec Romain, et puis on faisait tout ensemble, Stan, Léo, Samuel, Marius et Thibaud, Mélina… J'ai soudain pensé à mes évanouissements. Et si ça m'était déjà arrivé? Et si pendant ce temps-là..?

Mais qui…?

Ma tête me faisait mal, prête à exploser. J'ai jeté mon portable sur mon lit. C'était absurde, ça ne rimait à rien, et puis ça changerait quoi?

Rien, ça ne changerait rien, il valait mieux renoncer, je ne voulais pas de cette boue, je ne voulais pas savoir, encore moins me mettre à soupçonner tous ceux qui avaient fait partie de ma vie, c'étaient mes amis et même si je ne devais jamais les revoir, ils étaient tous ensemble ce qu'il y avait eu de plus lumineux, je ne pouvais pas salir toute cette insouciance et cette joie et ce plaisir de se connaître, c'était moi, c'était ma vie, et je n'y toucherai pas.

La tête me tournait et mon cœur battait à tout rompre. Il était près de quatre heures et je n'avais pas mangé. Je m'apprêtais à sortir de ma chambre quand mon téléphone a vibré. J'ai sursauté. Ça m'a fait le même effet qu'un coup de tonnerre, je me suis dit, *c'est un signe.* Je suis revenue sur mes pas en tremblant.

C'était Samuel.

Badaboum pousse des soupirs d'hippopotame en nous traitant de neuneus… Je pense à toi. I miss you.

On est mardi, c'est la première chose qui m'est venue à l'esprit. C'était la dernière heure de cours et ça faisait presque deux heures qu'ils étaient tous en maths. C'est comme si toute ma vie me revenait d'un coup en pleine figure. Je ne savais pas quoi en faire. J'ai éteint mon portable.

Noé venait de finir son biberon. Félicité me l'a immédiatement collé dans les bras. Je savais ce que ça voulait dire. Je suis allée le changer. Il avait les yeux grands ouverts et n'en finissait pas de rou-couler des « areus » en se tortillant de plaisir dans un sens et dans l'autre. Ça m'a arraché un sourire.

Et puis soudain, pendant que je lui enlevais sa grenouillère, il a laissé échapper de petits cris joyeux, l'amorce d'un rire, par petits éclats lumineux, ça s'envolait comme s'il soufflait sur des plumes qui flottaient dans l'air entre nous. D'abord, je n'ai pas compris pourquoi et puis je me suis rendu compte que sous son bras gauche, tout près du coude, il était incroyablement chatouilleux. J'ai essayé une fois et puis deux et à chaque fois, c'était le même gloussement, incroyablement léger, gratuit. Je ne pouvais pas m'empêcher de rire avec lui, tout doucement comme si j'avais peur de m'entendre.

J'ai fini de le changer, je l'ai pris dans mes bras, sur mon épaule, il a posé sa tête et pour la première fois, je crois, j'ai posé ma main sur son crâne, pour lui faire une caresse.

En remontant dans ma chambre, j'ai rallumé mon portable.

J'ai appuyé sur la touche RÉPONDRE et j'ai tapé : ME TOO.

C'était le jour de notre rentrée en Première. On venait de lire fébrilement les listes de noms accrochées sur la porte du lycée. Est-ce qu'on serait ensemble? Jusqu'au dernier moment, on avait passé en revue toutes les possibilités. Samuel soutenait qu'ils feraient tout pour éclater la classe de Seconde 7 qui, de mémoire de prof, était la pire de toutes. Pour nous, c'était un souvenir incroyable, jamais on ne s'était autant amusés. Thibaud était certain qu'on serait tous ensemble, «ils n'ont pas le choix, disait-il, on fait tous du russe, ils ne peuvent pas nous séparer».

C'est lui qui avait raison. On a poussé des cris de sauvages en voyant tous nos noms réunis sur la liste. J'ai sauté dans les bras de Mélina, elle m'a chuchoté à l'oreille: «tu te rends compte, ça fait dix ans qu'on est dans la même classe, ma Loulou.»

J'ai souri en repensant à notre rentrée en CP, notre première rencontre, on avait le même cartable, un cartable de garçon avec Harry Potter sur son balai volant. On s'était assises à la même table, au premier rang, et depuis, c'était vrai, on ne s'était plus quittées.

Soudain, j'ai reconnu de l'autre côté de la rue, adossée nonchalamment contre la vitrine d'un magasin, la silhouette de Stan. Nos regards se sont croisés. Au moment où j'allais lui faire un signe, il a écrasé sa cigarette et il s'est engouffré dans le métro. Ça s'est passé si vite qu'un instant, j'ai cru avoir rêvé.

Stan n'avait rien à faire là. Il avait été viré en fin d'année dernière. Il faut dire qu'il l'avait bien cherché, incapable de rester en classe plus de cinq minutes sans sortir une connerie qui mettait les profs en vrac. Un vrai fouteur de merde... mais qu'est-ce qu'on avait ri! Il avait toujours des idées complètement folles. Comme cette fois où il nous avait tous convaincus de se cacher sous nos tables pendant que la prof écrivait au tableau. Quand elle s'était retournée, elle s'était retrouvée devant une classe vide. Elle était même sortie pour vérifier dans le couloir... On avait tous pris quatre heures de colle un samedi matin. Mais pour Stan, « le meneur », c'était le truc en trop. Cette fois, il était passé en conseil de discipline. Ça nous avait tous assommés mais il s'en foutait et même il se moquait de nous, arrogant, sûr de lui et toujours aussi drôle... Il avait presque l'air soulagé comme s'il n'avait cherché que ça, être enfin débarrassé de l'école… Après, il est venu nous narguer tout le mois de juin devant le lycée. Sa mère l'avait inscrit dans une école privée, il avait refusé d'y aller… Pas avant la rentrée, disait-il avec sa désinvolture habituelle.

Alors quand je l'ai vu, ce matin-là, nous regarder de loin faire notre rentrée sans lui, j'ai senti mon cœur se fendre en deux. Ça lui ressemblait tellement ! Il n'admettrait jamais que quelque chose puisse le faire souffrir, il s'en tirait par une pirouette, on éclatait de rire et c'était reparti… Et quand on essayait de lui parler, il devenait cynique, acide, presque méchant. Moi, malgré ça, j'ai depuis toujours cette impression étrange de pouvoir traverser sa carapace et de le connaître mieux que personne. Comme s'il existait entre nous un lien particulier, j'aime cette distance qu'il maintient avec le monde entier, je crois qu'on a ça en commun, une part qu'on veut garder pour soi, secrète, qu'on ne doit à personne, quelque chose de l'idée qu'on se fait de sa liberté. Et puis, je n'avais jamais succombé à son charme alors que toutes les filles rêvent d'une histoire avec lui. Ça ne m'empêche pas d'admirer comme tout le monde – sauf que jamais je ne l'avouerai – son goût pour l'ivresse, son côté funambule qui cherche coûte que coûte du plaisir dans la perte et le déséquilibre.

Une seule fois, ça a failli mal tourner entre nous. Il venait de passer une semaine de vacances en

Bretagne dans ma famille avec Thibaud et Mélina. Comme d'habitude, il avait su conquérir tout le monde, les petits et les grands, et même mamie Renée. Sur le chemin du retour, en train, il n'avait pas cessé de se moquer méchamment de tous ceux qu'il s'était évertué à charmer, ridiculisant leur manière de vivre, et la mienne, tous ces gens si gentils, accueillants et tellement tranquilles. Aussi paisibles que les troupeaux de vaches dans les champs tout autour... Il faisait ça si bien que les deux autres ont ri. Au début, moi aussi, avec eux, et je m'en veux encore, mais il était tellement drôle. Et puis c'est devenu de plus en plus mordant, j'ai fini par montrer que je n'en pouvais plus. Alors, c'est à moi qu'il s'est attaqué, la gentille petite fille et sa famille parfaite. Je n'ai pas desserré les dents durant le reste du trajet, bien décidée à ne plus jamais lui adresser la parole de ma vie. Une semaine plus tard, il est venu s'excuser. Mais j'étais en colère et affreusement blessée. Alors, brusquement, il s'est mis à parler de lui, de sa famille décomposée, et de sa solitude.

– Je suis jaloux... il a murmuré.

Évidemment, il m'avait profondément émue et j'ai cédé devant son désarroi. Je me suis dit qu'il lui fallait quand même une forme de courage pour avouer à quel point dans le fond il était fragile et désespérément seul. Ça a scellé entre nous une forme de confiance qui se passait de mots.

Alors, en le voyant de l'autre côté de la rue, ce matin-là, j'ai pensé aussitôt mettre à exécution le projet de cadeau que j'avais pour son anniversaire.

Je suis arrivée trois jours après chez lui avec Bouboule, un chiot que j'avais glissé dans la poche de ma veste, une espèce de boule blanche, adorable et câline. Je m'attendais à des cris d'enthousiasme. Il l'a regardé avec mépris et l'a ignoré une bonne partie de la soirée. Mais le chiot n'arrêtait pas de chercher à s'installer sur ses genoux. Et petit à petit, il y est parvenu. J'ai vu Stan s'amollir, ses yeux pleins de tendresse, éclatant de rire en découvrant qu'il avait pissé sur sa couette, prêt à jouer avec lui pendant des heures.

Alors que je m'apprêtais à partir, il m'a lancé un regard qui valait tous les mercis du monde.

Je me suis fait couper les cheveux. Court. Très court. Il ne me reste que quelques centimètres sur le crâne. Pas plus de cinq ou six. Le coiffeur a d'abord refusé de me les couper. J'ai eu droit à un discours enflammé sur les années qu'il me faudrait pour récupérer une chevelure pareille, sur mes regrets qui s'avéreraient inutiles, il a essayé de me persuader de ne pas céder à une humeur forcément passagère, m'a demandé ce que ma mère en pensait... Il a fallu que je prenne les ciseaux moi-même et que je coupe à l'arrache une mèche de vingt centimètres pour qu'il finisse par céder en poussant des soupirs affligés.

J'ai assisté à la métamorphose en direct, le cœur battant. Je n'étais pas aussi sûre de moi que j'avais voulu le faire croire, et quand je voyais mes cheveux tomber sur le sol, je sentais ma gorge se nouer. J'avais peut-être pris cette décision trop vite, et si je n'étais plus moi-même, étais-je déjà prête à effacer ce que j'avais été ? Et à quoi donc allait ressembler celle que j'allais devenir ?

Quand ça a été fini, je n'ai pas su quoi penser. Je voyais plus que mes grands yeux écarquillés dans le miroir. Un canard déplumé... J'ai cherché dans le regard du coiffeur de quoi me rassurer. Il avait l'air assez content de son travail, m'observant la tête penchée sur le côté, les sourcils en forme d'accent circonflexe, les lèvres jointes dans une moue satisfaite.

Il s'est tourné vers sa patronne.

– Tu trouves pas que ça lui donne un air de Jean Seberg ?

– Connais pas...

– Mais si... dans le film de Godard, avec Belmondo... C'est comment déjà... ?

Ça n'avait pas l'air d'intéresser la dame plus que ça.

– *À bout de souffle* ! Vous connaissez ?

Non, je ne connaissais pas.

– ... mais j'aime bien le titre.

Il continuait à m'évaluer des yeux en souriant, content du résultat. Et moi, en face, je me sentais rougir sous l'insistance de son regard en même temps que mes yeux lui lançaient des éclairs. Il ne semblait rien remarquer, il a même interpellé le salon en entier et toutes les filles sont venues me regarder, tournant autour de moi comme des mouches, chacune à tour de rôle me touchant les cheveux pour remettre une mèche en place.

Pendant que je payais, il a poursuivi :

– C'est vrai, c'est fou, c'est tout Jean Seberg. Une tête d'ange un brin sauvage, un peu voyou !

Je l'ai remercié timidement et je me suis sauvée en courant. Encore un adjectif, je me suis dit, et je lui foutais mon poing sur la figure, du genre combat de catch sur M6, histoire de lui apprendre à penser à voix basse. Parce que j'avais besoin de silence, de prendre ce temps pour moi, d'avoir un peu de recul, de m'habituer *de l'intérieur* à cette sensation nouvelle de ne plus porter mes cheveux, de ne plus les avoir sur les épaules ou tombant dans mes yeux, je passais et repassais ma main sur mon crâne, étonnée plus qu'inquiète, légère comme si j'avais enlevé mon manteau en plein hiver, plus nue aussi, et fragile, j'avançais dans la rue à découvert, offrant mon visage à la pluie et aux passants indifférents.

Je ne sais pas si ça me va bien, ni à qui je ressemble, je me suis dit en me mettant à courir pour attraper mon bus, je crois bien que ça m'est égal…

En rentrant au centre, je me suis débrouillée pour ne croiser personne. Et je me suis précipitée dans la salle des ordis. J'ai cherché fébrilement des photos de Jean Seberg. Je les ai regardées longuement, interloquée, pas mécontente de lui ressembler, un peu inquiète dans le fond. J'ai fini par me dire que le coiffeur l'avait plutôt bien décrite. Les photos me plaisaient... Je lisais dans son regard une gravité lumineuse dans laquelle je me reconnaissais. J'ai voulu apprendre des choses sur sa vie. J'ai parcouru des biographies sommaires sur Internet, ça m'a fait froid dans le dos, c'était plutôt tragique mais j'aimais ce qu'on racontait : c'était une vie intense, amoureuse de Romain Gary, engagée dans des combats politiques, proche des Black Panthers à une époque où l'Amérique était loin d'imaginer qu'elle aurait un jour un président noir. Décidément, cette fille-là me plaisait. En éteignant l'ordinateur, je me suis dit que les modèles qui me faisaient rêver, auxquels je m'identifiais, avaient changé de visage. À quinze ans, je me projetais dans la vie de Juliette Drouet, la maîtresse de Victor Hugo. J'étais éblouie par la constance de son amour, par son abnégation, enfermée toute sa vie à l'ombre de son grand homme jaloux, exclusif, possessif, c'est comme ça que je rêvais d'être aimée. J'avais lu plusieurs fois toute leur correspondance, subjuguée par cette passion qu'elle avait vécue au prix de sa propre vie. Aujourd'hui, je regardais mon engouement d'alors avec beaucoup de dérision. Jamais je ne passerai ma vie au service de quiconque, fût-il le plus grand des écrivains. Je voulais une vie à moi, une vie à inventer, peut-être pas grandiose et pas nécessairement tragique, en tous les cas, j'en avais l'absolue certitude, une vie portes ouvertes pour que rien ne se gâte, pour que rien ne moisisse, sans amertume et sans résignation.

Il a fallu revenir à la réalité. J'ai grimpé les marches quatre à quatre, légère et contente d'avoir pris le temps de rêver.

J'ai croisé Jennifer et Awa. Elles ont ouvert de grands yeux étonnés. Une fois la première surprise passée, Jenn m'a couverte de compliments, elle trouvait ça sublime, et puis fallait oser... Awa ne desserrait pas les dents. J'ai poursuivi mon chemin, pas mécontente de l'effet que je produisais. J'ai eu le sentiment grisant d'avoir *réellement* fait peau neuve.

Dans ma chambre, j'ai sauté sur mon portable. J'avais maintenant tous les jours plusieurs messages de Samuel. Je répondais à chaque fois. On ne se racontait rien. Il s'évertuait à n'aborder que des choses anodines, une fois c'était Bouboule qui était criblé de puces et s'était mis à puer le camembert, une autre fois, il parlait du bac blanc et du conseil de classe, il pestait contre le froid et les matins humides, la nuit qui tombait vite, les vitrines de Noël, enfin n'importe quoi. Je sentais qu'il attendait que je lui fasse un signe. Mais je me bornais à répondre sur le même ton en veillant à ne rien livrer de moi. Je crevais pourtant d'envie d'avoir des nouvelles de tout le monde et surtout de savoir ce qu'ils pensaient, ce qu'ils racontaient et même tout simplement je me demandais s'ils pensaient encore un peu à moi, juste un peu...

C'était quand même bizarre que Samuel soit le seul à garder contact avec moi. On n'était pas franchement proches, je l'aimais bien comme ça, j'aurais jamais pu imaginer que ce soit lui qui ferait ça pour moi. Le seul au fond qui m'avait gardé sa confiance, je le sentais derrière ses petits mots anodins, qui se posait peut-être les mêmes questions que moi.

J'ai tapoté :

CÉTAIT COMMENT, LE BAC BLANC ?
NORMAL
TU CROIS QUE TU POURRAIS MÉNVOYER LES
SUJETS ?
OK ! TÀS LES COURS ?
NON
JE TE LES SCANNE.

Voilà. Normalement, il devait se dire que je n'allais plus en cours. Je ne savais pas où tout ça allait me mener, mais une chose était sûre, j'avais envie d'y aller.

J'avais promis de rapporter les clefs de l'étage à Jennifer sans avoir la moindre idée de la manière dont j'allais m'y prendre. Pendant quelques jours, j'ai tourné autour de la dame de la loge en lui faisant du charme. Je passais tous les jours pour discuter avec elle, prenant des nouvelles de sa fille qui était en Terminale. Je sentais qu'elle m'aimait bien, me trouvant bien élevée, je lui inspirais confiance. Au début, j'ai éprouvé des scrupules à gagner ses faveurs alors que je ne projetais que de voler des clefs. Plus que tout, je voulais lui éviter des ennuis. Elle avait l'air de souffrir de son problème de poids, toujours essoufflée, les jambes gonflées, peinant au moindre déplacement. En fait, je la trouvais touchante. Et puis un beau matin, elle s'est mise à râler contre la «racaille», celle de son quartier d'abord et, pour finir, celle du centre, tous ces gens qui venaient manger le pain sur le dos des vrais Français, qui prenaient leur travail et qu'on ferait bien de renvoyer chez eux. Je me suis pris sa haine en pleine figure, j'ai bien essayé de lui opposer des arguments, mais j'ai vite bafouillé devant sa virulence. La «racaille» était fainéante, mauvaise, violente, c'étaient tous des ratés, il n'y avait qu'à voir qui était dans ce centre et combien ça «nous» coûtait de nourrir ces «petites putes». Du coup, tous mes scrupules se sont envolés.

J'ai fait semblant de perdre l'équilibre et les papiers de son bureau sont tombés par terre. Je l'ai aidée à les ramasser et j'ai volé les clefs... Elle m'a prise par la main, elle me trouvait gentille et tellement serviable.

Quand je suis arrivée dans la cuisine ce soir-là, l'ambiance était plutôt morose. J'avais fait faire le double des clefs et je m'apprêtais à en donner un à chacune, pas peu fière de mon coup. Leïla avait les yeux rouges et les deux autres tiraient sur leur cigarette à la fenêtre en regardant dans le vide, remarquant à peine ma présence. Le silence était pesant, je me suis dit que je les avais jamais vues comme ça, si sombres et angoissées. J'ai fini par demander ce qui se passait.

Elles m'ont jeté un regard fatigué comme si c'était au-dessus de leurs forces de dire ce qui les contrariait. Leïla a fini par marmonner :

– J'ai eu un rendez-vous à Pôle emploi.

– Il s'est passé quoi ?

Elle s'est contentée de hausser les épaules, refusant de raconter à nouveau. Awa a juste lâché :

– C'est normal, on est des filles de rien.

J'ai eu l'impression soudain de les voir toutes baisser la tête en même temps. Je savais à quel point ces mots-là peuvent faire mal parce qu'avant de les entendre dans la bouche des autres, on est déjà d'accord.

– Mais moi, je m'en sortirai !

Ce n'est pas moi qui l'ai dite, cette phrase-là, c'est Jennifer, mais j'aurais pu la dire avec elle.

J'ai sursauté, surprise d'entendre aussi vite mes propres pensées en écho. Awa a ricané :

– Toi...

– Quoi, moi ?

– T'as jamais une tune, tu traînes avec la racaille, tu penses qu'à faire la teuf, t'es juste programmée pour finir sur le trottoir !

Elle avait à peine fini sa phrase que Jennifer lui sautait à la gorge. Elles se sont aussitôt attrapées par les cheveux, se donnant des coups dans le ventre, cherchant à se griffer. J'étais restée assise, tétanisée, incapable de bouger. Soudain, on a entendu des pas qui s'approchaient. Leïla leur a soufflé :

– Y a quelqu'un !

Elles se sont arrêtées net et quand Clémence est entrée, elle a sans doute eu l'impression qu'on causait tranquillement. Elle venait prendre des nouvelles de Leïla.

– Alors, ça s'est passé comment ?

Elle a secoué la tête.

– Mais ils t'ont dit pourquoi ?

– Ils m'ont fait passer un test et ils ont dit que je n'avais pas le niveau.

Le visage de Clémence s'est assombri. Elle a essayé de la rassurer mais sa voix sonnait faux :

– On va te trouver un stage de remise à niveau… Il y a une association…

Leïla l'a coupée net :

– On en parle plus tard, OK ?

Clémence a aussitôt changé de sujet :

– Azzedine a adoré la crèche. Il a bu son biberon et il a même goûté aux épinards.

Le visage de Leïla s'était illuminé.

– Je peux aller le chercher ?

– Si tu veux, mais t'as tout ton temps. Il faut

absolument que tu le laisses plus souvent... Si tu travailles, de toute façon...

Elle n'a pas entendu la fin de la phrase, déjà elle courait dans le couloir pour chercher son bébé. J'ai senti un poids écraser ma poitrine. Noé était si seul. Je devais être un monstre.

Je me suis levée moi aussi, il fallait que je me force, je n'avais pas le droit, je suis descendue à la crèche.

Je n'avais même pas donné les clefs.

Quand je suis arrivée, Leïla était déjà assise au milieu des coussins, devant son petit qui secouait des hochets. J'ai soutenu le regard étonné de Félicité. C'était la première fois que je venais en dehors de mes heures « obligatoires ».

— Alors comme ça, on s'est débarrassée de ses cheveux !

— *On,* je ne sais pas qui c'est, mais moi, oui, je suis allée chez le coiffeur.

Elle avait changé sa manière de me parler. J'avais maintenant l'impression que son opinion sur moi était faite. Sa voix s'est adoucie :

— C'est une drôle d'idée avec les cheveux que t'avais, mais ça te va plutôt bien...

J'ai juste hoché la tête, marquant avec ostentation une indifférence que je n'éprouvais pas.

Je me suis dirigée vers le petit lit de Noé. Il était vide. Il n'y avait plus rien, ni son lapin ni ses draps, tout avait disparu. J'ai regardé tout autour dans les autres berceaux mais il n'y était pas. J'ai eu un moment de panique. *On* avait décidé de me l'enlever, forcément, *je n'étais pas capable, je lui faisais du mal, je ne le reverrai plus.*

J'ai couru dans la salle, prête à hurler sur Félicité. Elle a tout de suite vu que j'étais affolée. Sans un mot, elle m'a tendu Noé qui dormait dans ses bras. Je me suis mise à trembler, j'avais les larmes aux yeux. Prise à nouveau de vertiges, je me suis assise par terre, je ne pouvais pas le porter. Félicité s'est approchée de moi, je me suis blottie contre elle, je pouvais voir Noé. Le sol continuait à se dérober sous moi, et la nausée montait, je luttais pour ne pas perdre conscience. Félicité se balançait d'avant en arrière et puis sur le côté. Elle nous berçait tous les deux, elle nous réchauffait en même temps, moi, je continuais d'avoir froid.

Noé s'est réveillé.

– Regarde, bébé, il y a ta maman qui est venue, elle est là pour te voir.

Il a tendu ses poings et j'ai glissé mon doigt dans sa main qu'il a serrée très fort. J'ai pensé *je ne suis pas ta maman, je ne le serai jamais,* et je l'ai pris dans mes bras.

Félicité est restée assise contre moi. J'étais totalement adossée à elle comme à un tronc d'arbre. Noé ne bougeait pas, ses yeux fixés sur moi, quand je croisais son regard, je me sentais si froide, on restait tous les deux étrangers l'un à l'autre, lui, paquet de chair inerte, et moi, statue de pierre. Félicité a bougé, j'ai cru qu'elle s'en allait, mais elle a tout simplement tourné son corps vers moi, m'enveloppant de ses bras ; soudain, j'ai eu moins froid, ses mains entouraient les miennes, elle portait avec moi, la charge était moins lourde, mon corps se détendait, Noé s'est tortillé, je l'ai rapproché de moi, sa tête sur ma poitrine, on respirait ensemble, Félicité fredonnait dans mon dos un air qui a fait sourire le bébé, ça résonnait en moi, c'était doux, tellement doux, j'ai fermé les yeux, pour mieux m'abandonner, j'aurais pu m'endormir avec lui contre moi.

Et soudain, quelqu'un a mis de la musique. C'était une de ces chansons qu'on met pour les enfants, toujours niaise et forcément joyeuse.

Pan, pan, pan qui est là, c'est la petite Charlotte
J'aurais besoin d'un rouleau pour faire mon gâteau
J'en ai pas j'en ai pas débrouille-toi comme ça

Félicité s'est relevée, m'a laissée et le charme s'est rompu.

Je me suis retrouvée debout au milieu de la salle comme en plein courant d'air. Alors, j'ai rejoint Leïla qui était restée au milieu des coussins, qu'Awa et Jennifer avaient rejointe. Tous les enfants étaient là et sautillaient en tapant dans leurs mains au rythme de la musique. Kadiatou dansait avec Kevin, c'est vrai que c'était joyeux.

Je m'étais mise malgré moi à battre le rythme du bout des pieds, en fredonnant les paroles. Tout le monde avait les yeux pétillants et le sourire aux lèvres. J'ai repensé à la tête qu'elles faisaient toutes les trois quelques instants plus tôt et j'ai compris qu'elles étaient venues là pour retrouver des forces. Ici, le monde ne pouvait pas leur faire de mal.

Je me suis approchée, désormais on chantait à tue-tête, quatre gamines déchaînées, les petits couraient dans tous les sens, et Noé souriait.

J'ai posé un baiser sur son front.

Awa m'a fait de la place pour que je puisse m'asseoir. Kadiatou est venue se mettre sur mes genoux, du coup, Awa a pris Noé. Elle le regardait avec curiosité, toute douce, je ne l'avais jamais vue comme ça. Et soudain, elle a dit :

– Ça se voit encore plus qu'avant, je trouve...

J'ai froncé les sourcils. Je ne comprenais pas.

– On dirait que c'est le bébé d'une autre tellement vous êtes différents. C'est vraiment le fils de son père, tu trouves pas ? J'ai fait non de la tête et j'ai repris Noé.

J'aurais pu la gifler, j'ai eu envie de faire du mal, à elle, au bébé, de partir en courant, de ne rien avoir entendu. Comment n'y avais-je pas pensé ? Je l'avais pourtant regardé pendant des heures et des heures et je n'avais rien vu.

Je crois que j'avais toujours su. Cet enfant était

l'enfant d'un autre plus qu'il n'était le mien. C'est à l'autre qu'il ressemblait, c'est l'enfant et lui seul qui pourrait me conduire à comprendre ce qui m'était arrivé. C'est pour ça que j'étais venue le chercher. Parce qu'il était la preuve, à lui tout seul, que je n'étais pas folle.

Je suis remontée dans ma chambre avec Noé dans les bras sans prévenir personne. Je l'ai posé sur mon lit et j'ai pris des photos.

Sans réfléchir, j'ai envoyé un texto à Samuel :

IL S'APPELLE NOÉ. TU PEUX LE MONTRER AUX AUTRES. JE SUIS SÛRE QUE SON PÈRE SAURA LE RECONNAÎTRE.

Pourquoi je n'y allais pas moi-même ? Pourquoi étais-je incapable de me défendre seule ? Qu'est-ce que j'imaginais ? Qu'est-ce qui s'était passé ? Comment c'était possible ?

Il fallait que je voie Samuel.

C'est le bordel ici, je t'explique pas.

On est toutes enfermées dans nos chambres, on sort en rasant les murs, tête baissée, et quand on croise quelqu'un, on le regarde par en dessous, on chuchote à voix basse comme si on avait peur aussi de réveiller un mort.

Moi perso j'en peux plus, je sais pas vivre en sourdine.

Tout ça à cause de cette histoire de clefs. À cause de Jenn qu'en a jamais assez. Qui nous a toutes entraînées dans son délire et qu'a même pas les couilles d'assumer. Je sais pas ce qui me retient de la balancer, elle et sa bande de kaïras…

En fait si, je sais. J'ai peur.

Faut voir la tête que font les éducs maintenant quand elles nous regardent. Déjà qu'on valait pas grand-chose mais là, on est descendues largement en dessous du niveau zéro. Des voleuses, des menteuses et des traîtres, voilà ce qu'on est devenues.

Elles arrêtent pas de nous dire qu'elles sont horriblement déçues, qu'on est que des ingrates, qu'elles n'auraient jamais cru qu'on soit capables de ça, avec tout ce qu'elles font pour nous. Une bande d'irresponsables qui abîme la réputation du centre et qui ne mérite qu'une chose, la rue.

Des fois, je me dis que, de toute façon, c'est là qu'on finira.

Et puis aussi qu'elles n'ont pas tout à fait tort.

Mais je préfère crever plutôt que de l'avouer.

Parce que la vérité, c'est qu'elles, elles ont un chez-soi, un amoureux, un boulot, des parents qui les aiment... Une vie comme on en rêve et qu'on n'aura jamais. Elles peuvent faire les gentilles ou les fâchées, je m'en fous, on n'est pas du même monde. Et puis, je suis tellement en colère des fois, que je pourrais le brûler, leur centre, juste pour le faire disparaître. Détruire, c'est tout ce qui nous reste. Au moins ça, on est sûres d'y arriver.

Je dis n'importe quoi, j'en peux plus de rester enfermée.

Si moi et Kadiatou, on nous fout à la porte d'ici, je retournerai pas chez moi.

Pas question.

On est toutes pareilles, à traîner notre misère jour après jour en attendant le verdict. Leïla est plus pâle que la mort. Je me demande combien de temps elle va tenir...

La seule qui flotte au-dessus de tout ça avec un

air tranquille, c'est Louise. Elle force le respect, c'est sûr, parce qu'elle fait ça pour nous. OK, c'est bon je peux pas dire, mais je comprends pas ce qu'elle cherche. J'ai jamais vu quelqu'un qui fonçait tête baissée contre un mur. Comme si elle n'avait rien à perdre. Des fois je me dis qu'on va la retrouver pendue au bout d'une corde. Ça me fait flipper, les kamikazes. Du coup, moi, je la surveille.

Mais c'est peut-être pour ça qu'elle tient bon. Faut quand même un sacré courage, parce qu'ils ne la lâchent pas. Ça fait trois fois déjà qu'elle va chez les flics et même qu'ils savent qu'elle ment, elle change pas ce qu'elle raconte : elle a volé les clefs, elle en a donné un double à un mec pour qu'il vienne la rejoindre la nuit, et qu'elle savait aussi qu'ils allaient tout voler. Même qu'elle les aurait aidés à trouver les ordis et à ouvrir la caisse. Hier, il y a eu la confrontation. Aucun des types ne l'a reconnue. Il paraît qu'ils se sont foutus d'elle, tous, les flics et les kaïras. Ils sont vraiment trop cons. Du coup, les flics la harcèlent pour voir qui elle protège. C'est de plus en plus chaud, ils veulent des noms, elle serre les dents, elle va finir par lâcher, je vois pas comment ça peut finir autrement.

Jennifer la chouchoute, la remercie, et la prend dans ses bras, l'encourage, la soutient. C'est tout son intérêt, ce qui peut arriver à Louise, elle en a rien à foutre, c'est bien sa peau qu'elle est en train de sauver. Je le sentais pas son plan, et pourtant, je me suis laissé prendre. Quand ils sont tous montés, ils étaient cinq, on les a bien reçus. On a fait à bouffer, on a bu et dansé, on a ri toute la nuit, c'était bon, et doux, jamais j'aurais pensé que pendant ce temps-là, ils vidaient les étages et qu'un camion en bas, chargeait tout tranquillement... Ils ont même pris des lits.

Je veux pas partir d'ici, je veux pas finir dans la rue.

– Pourquoi tu fais ça ? j'ai fini par lui demander le jour où ses parents sont venus pour la supplier de dire la vérité.

Elle était pâle et des cernes noirs creusaient son visage, ça m'a mise hors de moi. Faut croire que j'ai une conscience.

– Je sais pas.

– Tu fais ta meuf, quoi ! Dans le fond, tu risques pas grand-chose...

Je sais pas ce qui m'a pris, je voulais qu'elle réagisse, qu'elle donne au moins une raison à tout ça. J'aime pas l'idée de devoir quelque chose à quelqu'un.

– T'as raison, elle a répondu dans un souffle que même j'ai cru avoir rêvé, mais tu sais, moi, j'ai plus rien à perdre... j'ai déjà tout perdu...

– Et si t'as un casier, après, tu sais, pour le boulot, c'est juste mort pour un bout de temps.

Elle a haussé les épaules.

– Je sais.

Elle a quand même tremblé un peu. Et puis elle est allée dans sa chambre.

Je l'ai entendue qui jouait du violon. C'était beau. Je suis allée devant sa porte. J'ai toqué. Quand elle a ouvert, j'ai vu qu'elle avait les yeux rouges.

J'ai dit :

– Faut que tu penses à Noé.

– Je pense qu'à ça...

– Et...?

– J'en voulais pas... je savais pas...

Elle a laissé les larmes couler.

– Je crois que je me suis fait violer.

J'ai pas compris pourquoi elle en était pas sûre. J'ai pas posé de questions. Je l'ai prise dans mes bras.

Je sais de quoi elle parle. Je me dis que si elle me l'a dit à moi, c'est qu'elle l'avait senti. Parce que ça marque le corps, la façon dont on parle, et pourquoi on rêve plus.

Y a pas de mots pour décrire le sentiment que ça fait.

La neige était tombée toute la journée sur la ville, bloquant la circulation, empêchant les trains de circuler, forçant les piétons à marcher à petits pas prudents, le nez rougi par le froid, le bout des doigts glacé, l'humeur aussi grise que le ciel au-dessus de leurs têtes.

Il était bien plus de minuit quand on a décidé de rentrer. Moi, je serais bien restée chez Stan mais Thibaud a tellement insisté pour qu'on parte que j'ai fini par céder. Il n'y avait plus de métro et tous les taxis qu'on a croisés étaient pris.

– Il reste plus qu'à marcher, je lui ai dit en souriant.

Il n'a pas répondu à mon sourire, je n'y ai pas prêté attention, il est comme ça, Thibaud, toujours un peu trop sombre. Et puis je me sentais bien, j'adorais ce silence inhabituel à Paris et le bruit étouffé de nos pas. Les mains enfoncées dans mes poches, au milieu de la route, je cherchais mon équilibre, et quand je manquais de tomber, je savais qu'il était là pour empêcher ma chute. Le froid accentuait mon ivresse, j'étais de plus en plus légère, *bientôt trois mois, ça fait bientôt trois mois.*

Pourtant, quand on est sortis ensemble, je n'y croyais pas vraiment. Lui, il a eu l'impression de décrocher la lune. Ça me faisait peur, tous ces sentiments, je ne me sentais pas capable de vivre ça si fort, c'était trop, trop exigeant, trop exclusif, trop absolu... Je ne pouvais que le décevoir.

Et puis un soir, je me suis laissé convaincre. Et c'était vrai que depuis on ne s'était plus quittés, de plus en plus complices, je crois bien que j'étais heureuse. Peut-être même que j'étais en train de tomber amoureuse, c'est ça que je me disais cette nuit-là, en marchant et en regardant nos souffles se mêler dans le froid.

Il n'avait pas dit un mot. Je lui ai demandé «ça va?», il n'a pas répondu. J'ai jeté un coup d'œil vers son visage masqué par son écharpe, il avait les yeux rivés au sol, j'ai senti mon cœur se serrer, quelque chose n'allait pas.

Je me suis accrochée à son bras mais il m'a repoussée.

Je me suis arrêtée net.

– Qu'est-ce qui se passe?

Il n'a pas daigné me répondre, a continué sa route. Je l'ai vu disparaître à l'angle de la rue. Je n'ai pas bougé. Je voulais l'obliger à revenir. J'ai écouté ses pas s'éloigner peu à peu et, soudain, j'ai été saisie par la nuit et le silence, j'étais seule et je ne comprenais pas pourquoi.

Il me connaît assez pour savoir que je ne supporte pas les crises. Ça me met dans un état de panique, je me sens tout de suite coupable, je veux bien prendre tous les torts, sans réfléchir, sans raison, juste pour que ça s'arrête.

J'aurais voulu hurler pour qu'il revienne, qu'il m'explique ce qui l'avait blessé, je me serais excusée, je ne voulais pas être seule, je ne voulais pas qu'il me quitte, *je lui avais fait du mal ?*

Il a bien fallu que je reprenne ma route. C'était soudain sinistre, ce silence à Paris, et le froid et la glace. J'ai pensé à la boue qu'il y aurait le lendemain quand ça se mettrait à fondre, je me suis dit, c'est comme ça que ça finit, la neige, l'amour, les grandes déclarations, dans le ruisseau et on n'en parle plus.

Ça faisait bien vingt minutes que je marchais furieuse et déçue, quand il a surgi d'un porche où il m'attendait. J'ai poussé un cri de surprise.

– À quoi tu joues, Thibaud ?

Il avait les yeux exorbités et la bouche tordue par une colère sans nom. Je crois bien qu'il m'a fait peur.

– Qu'est-ce qui t'arrive ?

– Fais pas semblant, s'te plaît, c'est pire que tout.

Il avait une voix rauque et sourde, ses lèvres tremblaient, bleuies par le froid, ses traits avaient durci, il m'a prise par le bras et l'a serré très fort, j'ai senti qu'il se retenait de me frapper.

– Explique-moi...

J'avais parlé doucement, je voulais le ramener à moi, l'apaiser, le prendre dans mes bras, retrouver celui dont j'étais en train de tomber amoureuse, oublier ce visage grimaçant, l'effacer de ma mémoire, ne l'avoir jamais vu.

Il m'a lâchée, s'est remis à marcher sans m'accorder un regard. Cette fois, je l'ai suivi. J'étais derrière lui, à quelques pas, alors il s'est mis à parler à la nuit :

– J'en peux plus, j'étouffe, je t'aime à en crever et tu ne te rends pas compte, tu ne vois rien, tu profites, tu souris, tu fais semblant d'y croire, tu y crois peut-être vraiment, mais tu ne connais rien, tu ne connais rien à ça qui me dévore, tu joues avec le feu mais tu ne te brûleras pas, tu joues parce que ça chauffe, tu joues et ça t'excite, et moi je deviens fou, je passe mes nuits et mes jours avec ton visage dans mes mains, plein de toi, d'un geste de ta main, du mouvement dans tes cheveux, des plis qui se forment sous tes yeux quand tu éclates de rire, de la grâce de ta cheville, de ton ventre que je désire comme un fou, de la douceur de ta peau que je devine, du plaisir que je rêve de te faire découvrir... Et toi, ce soir, tu danses devant mes yeux, dans les bras des autres, des heures entières, tu te colles contre eux, tu fermes les yeux et ils sentent ton odeur, ils posent la main sur tes hanches, et tu bouges avec eux, je te vois, tu m'oublies, devant moi, tu m'oublies, tu prends le même plaisir à être dans mes bras, contre moi, tu te colles aussi, avec moi quand tu danses, et puis tu m'échappes à nouveau, tu es seule sur la piste, ton plaisir est si grand que les autres s'arrêtent, te regardent, tu leur donnes ce que tu me donnes à moi, qui m'appartient, que je ne veux pas qu'ils voient, tu le leur donnes aussi, et moi je ne suis rien, je disparais, je te supplie de partir, de rentrer, de nous cacher, je ne veux plus qu'ils te voient, je les hais, je te déteste, des fois, je préférerais que tu sois morte.

Ses derniers mots se sont perdus dans la nuit. Il ne s'est pas retourné, on a continué à marcher en silence, on n'entendait plus que le crissement de nos pas dans la neige. Je sentais mon cœur battre, mon ventre faire des nœuds, je tremblais à mon tour, terrorisée à l'idée de devoir lui répondre. Mais il n'a plus rien dit, et quand j'ai glissé sur une plaque de verglas, il m'a retenue en posant son bras sous le mien. On s'est retrouvés comme on était avant, juste en sortant de chez Stan, à marcher côte à côte, en faisant semblant d'être ensemble. Comme si les mots avaient été engloutis par la nuit.

Mais moi, je n'avais rien oublié, j'avais le vertige en repensant à ce qu'il avait dit, j'aurais voulu répondre, il n'avait rien compris, je l'aimais, je me suis dit, *je t'aime… comment le lui prouver?*

Et j'ai compris soudain qu'il n'attendait pas de preuves, il les avait déjà. Ce n'était pas un reproche, c'était bien pire que ça, il m'avait condamnée, je n'étais pas à la hauteur, je ne le serais jamais, je n'étais pas réelle, il aimait le rêve qu'il avait eu de moi. Jamais, je crois, je ne m'étais sentie aussi seule.

Le lendemain, il m'a appelée en s'excusant vaguement. Il avait bu, beaucoup trop et ne se souvenait plus très bien de ce qu'il m'avait dit. Il disait peut-être vrai, je l'ai cru, mais ça ne changeait rien. Je ne pouvais plus être avec lui avec cette peur au ventre de voir sa violence réapparaître.

Quelques jours plus tard, je l'ai quitté sans une explication. Je sais qu'il a souffert. Pendant quelques semaines, on s'est soigneusement évités.

Et puis, tout doucement, on a repris notre relation, pas tout à fait comme elle était avant. Il est sorti avec Charlotte, et moi avec Romain, j'ai tout fait pour qu'il n'en sache rien.

Samedi 14 h au Triomphe, à la Nation, OK ?

C'est le dernier texto que Louise m'avait envoyé. Je l'ai relu cent fois, je suis même allé repérer les lieux la veille pour m'assurer que le café existait.

Je me suis arrêté devant, mon ventre s'est noué, ça allait avoir lieu, j'avais pas le droit de me planter.

Je me suis pointé le jour dit avec un bon quart d'heure de retard.

Elle était déjà là.

Je l'ai reconnue de loin malgré ses cheveux coupés. Il m'a semblé qu'elle était plus menue, blottie comme elle l'était, dans le coin le plus sombre.

J'ai commencé par m'excuser pour mon retard, j'ai fait tomber mes clefs, en essayant de poser mon casque. Elle me regardait, un peu moqueuse. Elle a dit « tu bois quoi ? » et elle est allée commander un café. Ça m'a laissé un peu de temps pour reprendre mes esprits, j'ai soufflé un bon coup, j'allais y arriver, il le fallait.

Quand elle est réapparue, j'ai réussi à articuler : « T'as l'air en forme ! »

Elle a presque souri.

On s'est jeté un regard complice, on a rougi et baissé les yeux en même temps.

Elle s'est assise en face de moi et elle s'est mise à parler en fixant obstinément sa petite cuillère qu'elle faisait tourner dans sa tasse :

– C'était bien, tes textos…

Sa voix aussi avait changé, plus sourde.

– Ouais…

Et puis on s'est tus.

Ça commençait mal. J'étais bloqué, en panique, je me suis jeté à l'eau.

– J'ai pas montré la photo. À personne. J'ai pas pu. Je crois que c'est pas une bonne idée.

Elle a haussé les épaules. *Je l'avais déjà déçue ?*

– Peut-être que c'est mieux comme ça…

J'ai compris qu'elle s'en remettait à moi, par hasard, mais sans rien espérer. Si je laissais tomber, elle le prendrait comme le reste, comme une fatalité.

Moi, j'avais rien en stock à lui proposer. J'avais espéré qu'elle se mette à parler. J'ai poursuivi, effrayé par ces longs silences qu'il me fallait combler :

– Tu sais, depuis que… la bande, c'est plus vraiment pareil…, j'ai bafouillé.

J'ai eu l'impression de la voir reculer d'un pas.

– On se voit quasiment plus, tout le monde se fuit… Thibaud sèche tout le temps, Mélina traîne avec Charlotte, Marius et Romain ne parlent plus à personne…

– Et Stan ? elle a demandé.

– On le voit plus.

Son visage n'exprimait rien. On avait toujours autant de mal à respirer.

J'ai repris :

– Moi, je suis persuadé qu'il y a quelqu'un qui sait.

– Qui sait quoi ?

J'ai toussé.

– … qui sait, Louise… Qui sait pourquoi *ça* t'est arrivé.

Elle a fait non de la tête, j'ai insisté :

– J'en suis sûr.

– Je sais pas, je sais pas à quoi ça sert… tout ça… je me souviens de rien.

– Je sais.

Elle a sursauté.

– Tu me crois ?

– Ben oui…

Elle a levé les yeux vers moi et j'ai retrouvé pendant quelques secondes son visage d'avant, lumineux. Et puis, tout s'est à nouveau assombri. Elle a cherché ses mots.

– T'es bien le seul parce que même moi, j'arrive pas à y croire. Je veux pas t'embarquer dans ma galère…

– Arrête, Louise, tu y es pour rien, c'est moi qui décide d'être là, avec toi. D'ailleurs, c'est pas vraiment un choix, c'est comme ça, je peux pas faire autrement.

– C'est gentil.

C'était plein d'ironie, sa voix comme une lame de couteau. Ça m'a mis en colère, j'avais pas envie d'être *gentil*, c'était blessant et elle le savait. Depuis le temps qu'on me traitait d'un peu haut, à cause de mes deux ans d'avance… ou de retard sur les autres.

J'ai murmuré :

– Tu veux pas savoir ?

Elle n'a rien répondu. Et puis elle a fini par bafouiller :

– J'ai peur…

– Je comprends.

Je mentais. J'étais incapable de me mettre à sa place.

Je me suis lancé :

– Je pense que Mélina cache quelque chose.

– Mélina ?

– Je comprends pas pourquoi elle a pris ça si mal. Y a quelque chose qui cloche… Je suis sûr qu'il faut que tu lui parles…

– J'en suis incapable. Me demande rien, Samuel. Je suis pas…

Elle n'a pas fini sa phrase, le silence est tombé.

Et puis elle a repris, en butant sur chaque mot, comme si c'était affreusement difficile de penser à tout ça :

– Tu sais… en fait… je ne sais que ce que je veux. Des fois, je me dis que je préférerais continuer sans savoir, et puis je me rends compte que je peux pas …

J'ai opiné doucement de la tête, j'osais à peine bouger, c'était si fragile cette façon qu'elle avait de me faire confiance.

Elle a poursuivi :

– Et puis, de toute façon, au centre en ce moment, c'est un peu difficile…

J'ai eu l'impression qu'elle me tendait la main pour passer par-dessus le mur qu'elle avait mis entre elle et le monde pour se rendre invisible. J'ai retenu mon souffle.

– C'est comment là-bas ?

– Là-bas ?

Elle m'a décrit sa chambre, la crèche, elle m'a parlé des filles, je l'ai vue peu à peu s'animer, redevenir celle qu'elle était avant. Et puis elle m'a raconté cette histoire de vol et ses interrogatoires au commissariat. Elle avait l'air de trouver ça très drôle. Je n'en revenais pas.

– Moi, de toute façon, je m'en foutais de ce qui pouvait m'arriver. Et puis, un beau matin, j'ai appris que les filles étaient allées à tour de rôle dans le bureau de la directrice pour se dénoncer.

Alors, j'ai découvert Awa, Leïla et Jennifer.

– Elles avaient bien répété leur petit numéro, faisant semblant d'être écrasées par le remords. Elles voulaient toutes se rendre au commissariat. Et ça a marché. La directrice a tout fait pour essayer de les faire changer d'avis, elle les a menacées du pire, elle les a confrontées, mais elles ont tenu bon, elles se contentaient de répéter les yeux baissés, «c'est moi, je le jure», avec des airs de repenties prêtes à faire pénitence pour expier leurs péchés. Tous les soirs, elles me mimaient la scène, c'était à hurler de rire. Ça a mis le centre en vrac, les éducs ont passé des heures en réunion… Et puis, ça a fini par se savoir à l'extérieur du centre. Une de ces bonnes âmes qui viennent apporter des vêtements et des jouets pour les bébés nous a traitées de petites grues; manque de bol, la directrice était là, elle a pris ça très mal et elle a jeté dehors la bonne âme sous nos yeux. «Je ne tolère pas qu'on insulte mes filles», qu'elle a dit en claquant la porte. Quelques jours après, le centre a retiré sa plainte. En échange, on est de corvée de ménage et de courses pendant un petit moment, et on est chargées aussi de refaire les peintures dans des petits studios que le centre va louer bientôt pour les filles qui peuvent être autonomes.

Elle a fini son histoire avec un petit rire content. Un long silence s'est à nouveau glissé entre nous quand, soudain, elle a soupiré :

– Tu sais, c'est bizarre, c'est pas des amies, c'est comme toi, on peut pas dire qu'on était proches avant. Et pourtant, c'est vous qui…

Elle s'est arrêtée net pour ravaler l'émotion qui montait. Et puis elle a repris :

– Je crois que c'était pas une bonne idée... M'en veux pas mais je peux pas... Je voudrais tellement...

– Quoi ?

Je l'avais coupée net, un peu agressif malgré moi. J'aurais préféré qu'elle me dise simplement ce qu'elle attendait de moi.

Elle a planté ses yeux dans les miens.

– OK. Je vois Mélina et après ? Je lui dis quoi ?

– J'en sais rien, je serai là, on verra bien.

– Et pourquoi elle voudrait me voir maintenant ? Elle m'a même pas envoyé un texto, tu te rends compte ?

– Parce qu'elle sait quelque chose et que ça la bouffe de l'intérieur, je le sens, voilà... je sais pas quoi dire d'autre !

– Alors pourquoi t'as pas montré la photo ?

C'était comme un coup dans le ventre.

– Je sais pas.

C'était la vérité. Je l'avais regardée une fois et puis j'avais lutté pour ne pas l'effacer, ne plus l'avoir avec moi. Je me suis forcé pour essayer d'expliquer :

– Ça m'a fait un choc...

J'ai dégluti avant de poursuivre :

– Ça aurait servi à rien...

Elle a sursauté.

– En fait, t'as pas regardé.

– Non... c'est vrai... pas vraiment... mais c'est pas ça le problème..

Elle serrait les dents. J'avais le cœur en morceaux, je savais plus quoi dire, quoi faire, je m'accrochais à mon siège, fuir, ce serait tellement plus simple.

Elle a changé de sujet :

– Je me suis inscrite au CNED, je veux passer mon bac, enfin je vais essayer.

– Le CNED ?

– Des cours par correspondance... Je l'ai pas encore dit au centre, je sais pas si ça va être possible.

– Si tu veux, je t'envoie tous les cours en plus.

Elle a eu l'air soulagée.

Après ça, on ne s'est plus dit grand-chose. On a trouvé le café dégueulasse, je lui ai proposé un Coca, elle a regardé sa montre, il était temps qu'elle s'en aille. On s'est quittés sur le trottoir sans même se faire la bise.

Elle m'a promis d'être là au rendez-vous avec Mélina. Je l'ai regardée disparaître dans la bouche de métro.

Et je suis rentré chez moi en ayant l'impression de boiter.

L'air froid aurait dû me remettre les idées en place. Mais j'avançais crispé, le dos rond, les yeux rivés au sol, incapable de me débarrasser du sentiment poisseux d'être passé à côté, d'avoir raté, de pas avoir su. Une petite pluie pointue s'est mise à tomber, l'eau roulait sur mon visage, j'avais les joues en feu. Louise était restée lointaine, distante, méconnaissable. Elle respirait si mal... C'était une sale histoire, forcément, apprendre la vérité ne changerait rien à ça, je m'en rendais soudain compte, et ça me rendait effroyablement triste, c'était pas seulement le bébé, c'était la trahison, la pire des trahisons, et tout le monde s'en foutait. J'ai été pris d'une rage folle, de l'envie de voir la terre trembler, les immeubles s'écrouler sur des gens affolés, ce monde sordide englouti dans les flammes. Tout brûler, table rase et tout recommencer.

Mon portable a bipé. C'était Louise : MERCI.

J'ai répondu : ARRÊTE DE ME DIRE MERCI, ÇA M'ÉNERVE.

Elle a mis un petit moment avant d'envoyer ça : OK.
MERCI QUAND MÊME.☺

Dans le vestiaire de la piscine, on se préparait tous pour le grand plongeon, la première épreuve du bac. À première vue, tout avait l'apparence d'un jeudi ordinaire. Ça traînait, ça râlait contre le froid, ça se jaugeait par en dessous, je détestais ce moment où tout le monde voyait mon squelette de crevette. Le prof s'est pointé pour faire l'appel et nous signaler qu'on passerait par ordre alphabétique. J'ai soupiré. J'allais devoir regarder les performances de toute la classe avant que ce soit mon tour. J'avais beau me dire qu'au final, je serai sans doute premier sur la ligne d'arrivée en juin avec les maths et la physique, ce jour-là, j'aurais donné n'importe quoi pour mesurer trente centimètres de plus.

– Thibaud n'est pas là ?

On s'est tous regardés. Ça faisait plus de quinze jours qu'on ne l'avait pas vu. Est-ce que quelqu'un l'avait prévenu ? Je me suis tourné vers Marius.

– Il sait ?

Marius a haussé les épaules.

– Je crois…

On s'est levés en grelottant, la serviette autour du cou. Il m'avait pas jeté un regard. Je l'ai retenu par le bras.

– Tu veux pas lui envoyer un sms ?

– Je l'ai fait hier.

– Il a répondu quoi ?

– Il répond plus.

– Depuis quand ?

– C'est bon, t'es keuf ou quoi ?

J'étais sûr qu'il était aussi surpris que moi. Thibaud n'aimait pas l'école mais c'était pas le genre à tout lâcher et à pas passer son bac, enfin pas le Thibaud qu'on connaissait tous les deux. J'ai essayé de me rappeler quand il avait commencé à sécher en continu, évidemment, j'avais ma petite idée, mais ça ne suffisait pas, j'aurais voulu avoir la preuve.

J'avais déjà les deux pieds dans cette espèce de marmite à verrues dans laquelle on doit barboter avant d'entrer dans la piscine, quand j'ai entendu quelqu'un hurler dans mon dos.

– Merdeeeeeee!

Suivi d'un grand fracas. Je suis retourné sur mes pas et j'ai vu Thibaud allongé de tout son long sur le sol des vestiaires. Je me suis précipité pour l'aider à se relever. Il sentait l'alcool à plein nez. Une bosse sur son front gonflait, bleu-violet, et ses yeux étaient injectés de sang. J'avais beau y mettre toutes mes forces, il était incapable de tenir sur ses deux jambes.

J'ai pesté :

– Bon sang, Thibaud... fais un effort !

– Saint Samuel du Bon Secours, boooonjour...

Et il a ricané, lâchant ma main pour s'allonger comme s'il était dans son lit. J'ai juste eu le temps de voir le blanc de ses yeux, j'ai pris peur, peut-être qu'il s'était vraiment fait mal. Je lui ai collé deux gifles, il a sursauté, ses yeux se sont rouverts, j'ai couru chercher de l'eau, je lui en ai versé sur la tête, il a râlé mais j'ai vu qu'il revenait à lui. Il s'est redressé et s'est adossé contre le mur. Je me suis accroupi pour être à hauteur de son visage et je lui ai balancé qu'il ferait mieux d'aller chez un médecin pour se faire porter pâle. Je voyais pas comment il pouvait nager deux cents mètres et chercher un mannequin de quarante-cinq kilos au fond de l'eau pour le ramener au bord de la piscine.

– T'as raison mec.

Je le trouvais pathétique. Il avait la tête dans ses mains, semblait réfléchir à plein régime mais ne

bougeait pas d'un pouce. Je commençais sérieuse-
ment à m'impatienter.

– Vas-y, bouge, Thibaud ! Faut que j'y aille, moi…

Il a relevé la tête.

– Je t'ai rien demandé… Casse-toi !

Il a vu que j'hésitais, alors il a insisté :

– Vas-y, je te jure, je veux pas t'embarquer dans
ma galère.

C'était mot pour mot ce que m'avait dit Louise
quelques jours plus tôt. J'ai pas pu m'empêcher de
le lui dire.

Il a écarquillé les yeux, m'attrapant par le bras.

– T'as vu Louise ?

J'ai opiné.

Il avait l'air de manquer d'air. J'ai vu toutes les
questions qu'il se refusait de me poser passer sur son
visage. Il attendait sans doute que je lui en dise plus.
J'ai reculé de quelques pas, j'ai ouvert mon casier, je
suis revenu vers lui et je lui ai foutu la photo sous
le nez.

– Il s'appelle Noé.

Lentement, si lentement qu'on aurait dit un geste
au ralenti, il a pris le téléphone, a regardé la photo,
livide. Derrière nous, on entendait les coups de sifflet
du prof et les cris d'encouragement chaque fois que
quelqu'un plongeait sous l'eau. Il m'a rendu le portable sans un mot. Et il a éclaté en sanglots.

Ça m'a tellement surpris que j'ai pas dit un mot.
Je me suis assis sur le banc tout près de lui, si bien

que sa tête était tout contre ma cuisse. Je sentais tout son corps secoué par des hoquets de plus en plus violents. J'ai failli glisser ma main dans ses cheveux comme les mères font pour consoler les enfants. Sauf que moi, c'était pas pour l'apaiser. Je voulais juste qu'il se mette à parler.

J'ai entendu mon nom. Le prof hurlait à l'autre bout de la piscine. C'était mon tour...

Je me suis levé, la mort dans l'âme.

– Faut que j'y aille...

J'ai fait quelques pas et juste avant de disparaître, j'ai lancé :

– Elle lâchera pas. Elle fera tout pour savoir ce qui s'est passé.

Il a relevé la tête. Pendant quelques secondes, nos regards se sont croisés. Il y avait dans ses yeux un mélange de désespoir et de haine qui m'a fait froid dans le dos.

– Wiegenstein... encore dix secondes et je vous colle un zéro...

J'ai foncé vers la piscine avec la sensation de son regard menaçant pointé sur moi. Quand je suis apparu toute la classe a applaudi. J'ai appris plus tard qu'ils étaient tous persuadés que je me planquais, tétanisé par la trouille. Comme quoi les apparences sont trompeuses, je me suis dit en rentrant chez moi, je n'aurais jamais cru que Thibaud avait quelque chose à voir dans cette histoire.

J'avais la sensation de partager malgré moi leur secret, rongé par leur silence, incapable de fermer l'œil sans plonger dans des cauchemars informes où je criais sans qu'aucun son ne sorte de ma bouche. J'avais aussi peur qu'eux, pressentant que la vérité, si elle éclatait, ne serait pas belle à voir. Alors, je faisais semblant de croire que rien n'avait changé, m'accrochant au train-train quotidien, m'enveloppant de leurs secrets, rêvant de m'y soumettre aussi, de m'habituer au mensonge, comme s'il s'agissait juste de dompter une douleur lancinante. Et si la vérité était insupportable ? Le silence était-il préférable ? Fallait-il oublier, se taire, faire avec les mensonges ? Louise elle-même n'était pas sûre de ce qu'elle voulait alors, au nom de quoi, moi, je cherchais à éclairer ce qui restait dans l'ombre… ?

À quoi ça sert la vérité si la vérité fait si mal ?

J'en pouvais plus de tourner tout seul avec mes questions. Un soir, au lieu de rentrer chez moi en sortant du lycée, je suis allé direct chez Mélina. Je l'ai même pas décidé, ça s'est fait tout seul.

J'ai sonné. On a mis un long moment à répondre. C'était sa mère et, quand elle a entendu mon nom, elle a juste grogné quelque chose et plus rien. Je me suis retrouvé devant la porte fermée, certain qu'une fois encore elle ne s'ouvrirait pas. Et puis j'ai eu l'idée d'envoyer un texto à Mélina. Un peu suppliant, JE TE JURE, ÇA DURERA 5 MINUTES.

Et soudain, le petit clic de la porte s'est déclenché

tout seul. J'ai soufflé un grand coup et je suis monté au quatrième étage. Tapis rouge, vieux parquet, plaques de médecin et d'avocats à la cour, pas un bruit, sauf celui de mon pas lourd, *qu'est-ce que j'allais lui dire?*

La porte était entrebâillée et, du fond de l'appartement, des éclats de voix me sont parvenus, j'ai tendu l'oreille, une porte a claqué, «tu me fais chier!», c'était Mélina, j'étais planté sur le paillasson, tétanisé et prêt à rebrousser chemin quand elle a surgi devant moi en me tendant un papier avant de disparaître dans le fond de l'appartement. J'ai juste eu le temps de voir son regard désespéré et ses yeux rougis par les larmes. Sa mère lui avait couru après, elle était devant moi, j'ai glissé le papier dans ma poche et j'ai bafouillé que je repasserais demain.

Elle m'a arrêté net.

– C'est pas la peine, ni demain ni après, on déménage… Qu'est-ce que vous lui voulez?

Et j'ai vu dans son dos, les cartons empilés, les bibliothèques presque vides, les murs poussiéreux et blancs à l'endroit des tableaux décrochés, cette ambiance étrange qu'il y a dans un lieu qu'on est en train de quitter.

– Je… mais… Je m'inquiétais…

– J'ai interdit à Mélina de contacter quiconque. J'ai confisqué son portable. N'essayez plus, c'est le meilleur service que vous pouvez lui rendre.

J'ai baissé la tête.

– Très bien… Dites-lui juste, enfin, que…

J'ai pas eu le temps de finir. La porte s'est refermée devant moi. Comme un mur.

J'ai tourné les talons, et j'ai glissé ma main dans ma poche. J'ai attendu d'être sorti de l'immeuble, j'ai marché jusqu'au coin de la rue, je me suis retourné, pour être sûr de ne pas être suivi, je me suis même engouffré sous une porte cochère, j'ai déplié le papier.

Départ Istanbul, pas le choix, c Thibaud, ghb m'oub

Elle n'avait pas fini.

Je suis resté adossé contre un mur à lire plusieurs fois les mêmes mots sans qu'ils parviennent à mon cerveau. «Istanbul, Thibaud, ghb…» C'était juste des sons qui n'avaient pas de sens. *Ghb* surtout. Qu'est-ce que ça voulait dire? Les initiales de quoi? De qui? Gabriel, Hector, Bernard? Guillaume, Herbert, Balthazar? Je connaissais personne qui portait ces noms-là… Un endroit? Une boîte de nuit…? J'ai sorti mon portable, ignorant la seule chose que je comprenais à coup sûr. Thibaud…

Google… j'ai tapé «ghb».

J'ai lu:

Drogue du viol: le GHB ou acide Gamma Hydro Butyrique est un produit stupéfiant que les

consommateurs utilisent pour favoriser des relations sexuelles forcées. Il induit un état hypnotique et des amnésies (troubles de mémoire).

J'ai rangé mon portable. Je suis sorti dehors, j'ai marché sans penser, je pouvais plus respirer, qu'est-ce que j'allais faire avec ça ?

En quelque sorte, j'avais maintenant une preuve. Et Louise n'était pas là. Est-ce que je devais lui dire ? Tout de suite ? C'était à moi de le faire ?

Et voilà que maintenant je portais leur fardeau. Un gros sac lourd qu'on m'avait collé sur les épaules et dont je ne parviendrais pas à me débarrasser. Le genre de truc qu'on porte toute sa vie. J'ai eu la sensation physique d'avoir grandi d'un coup et de pas aimer ça, mais alors pas du tout, c'était comme d'être plongé dans un magma informe, brûlant et glacial à la fois, où le sentiment de responsabilité était collé à de l'incertitude.

J'ai d'abord pensé me rendre chez les flics. Mais je ne me voyais pas arriver avec mon bout de papier. Évidemment, il y avait mes parents. Pas encore, je me suis dit, pas avant d'être sûr… Et d'instinct, mes pas m'ont conduit chez Thibaud.

Je sais pas comment ça s'appelle, une intuition, un pressentiment, ce qui est sûr, c'est qu'après, on se met à croire à tout un tas de trucs, le destin, le bon Dieu ou n'importe quoi d'autre qui viendrait expliquer ce sentiment que tout ça était écrit d'avance.

Comme si c'était trop dur d'admettre que la vie n'est qu'affaire de hasard.

La nuit était tombée, les rues étaient pleines de gens pressés qui marchaient tête baissée, obnubilés par cette même pensée, me semblait-il, rentrer chez eux, fermer les portes, récupérer jusqu'au lendemain matin, où le monde à nouveau réclamerait son dû. Je ne me souvenais plus bien de l'endroit où habitait Thibaud. Ça faisait une bonne heure que j'aurais dû être chez moi. Ma mère m'avait déjà envoyé deux SMS. Je les ai ignorés. J'ai arpenté la rue à la recherche d'un souvenir. Je n'étais venu chez Thibaud qu'une seule fois quand il m'avait demandé, à moi comme à d'autres, de venir l'aider pour déménager du premier au sixième étage, en septembre dernier. Je me souvenais très bien du soulagement de ses parents de le voir quitter les lieux. Et Thibaud, un peu perdu, content de sa liberté toute neuve, un peu trop blanc quand même, pris de vertige.

Il m'a semblé reconnaître la porte cochère rouge et un peu déglinguée. Évidemment, je n'avais plus le code si je l'avais jamais eu. Et je ne voulais pas annoncer ma venue, certain qu'il m'enverrait au diable. J'ai tapoté obstinément sur les chiffres usés, 43B6 64B3 B634, la porte s'est ouverte, encore une ce jour-là, le destin, je vous dis, ou le hasard peut-être.

Un long couloir étroit, des odeurs de cuisine, de cigarette, de petites pièces sous les toits. Je reprends mon souffle à grand-peine, six étages c'est beaucoup, je vois de loin la porte entrouverte, je m'approche, n'ose entrer, j'appelle, on ne me répond pas, « Thibaud ? », je pousse la porte et je vois.

Il est allongé sur son lit, blanc, inerte, recroquevillé sur lui-même. Je le secoue, il ne bouge pas, je m'affole, prends son pouls, mets un temps infini à le trouver, me lève, hurle dans le couloir, appeler du secours, ne pas être seul, on ne vient pas, rien ne bouge, le Samu, les pompiers, ils viennent, ils ont promis, il me faut les attendre, je n'ose plus le regarder, je suis dans un coin, par terre, je vois les boîtes vides, la main ouverte sur le vide.

Et l'enveloppe qui porte le nom de Louise.

Je les entends qui montent, je me lève, je leur crie que c'est là, vite, je recule, ils sont quatre, sur le bureau, je vois :

C'est moi qui ai fait du mal à Louise, je l'ai droguée, je l'ai violée, je ne peux plus vivre avec ça.

Je me retrouve sur le trottoir devant une fourgonnette ouverte qui bloque la rue, URGENCES, je suis pris de vertiges, un pompier me ramasse, je chiale comme une madeleine, je le tape, je le frappe, je crie je ne sais quoi, j'entends, « il est vivant et il s'en sortira ».

Ses parents sont devant moi, ils me remercient, je crois, je n'ai rien à répondre, je regarde le pompier, je ne veux pas qu'il s'en aille, je n'en peux plus, une fois encore, je m'écroule dans ses bras.

Dans les jours suivants sont venues les questions, celles des flics, de mes parents, des flics encore. Que s'était-il *réellement* passé? Pourquoi je n'en avais pas parlé? Est-ce que j'étais certain de ne rien leur cacher? Qui fournissait cette drogue? Est-ce que j'en avais pris? Comment j'avais compris? Après tout, j'y étais peut-être aussi ce soir-là…

On m'a interdit de prévenir Louise moi-même. C'était trop délicat. *On* allait s'en charger…

Je savais qu'ils interrogeaient Thibaud. Un jour, au commissariat, de loin, j'ai reconnu la silhouette de Stan. Il était menotté. «En garde à vue», qu'on m'a dit.

Je ne leur ai jamais parlé de Mélina. Je l'ai laissée s'enfuir vers sa nouvelle vie. Des fois, je me dis qu'elle est coupable et qu'elle a toujours su. Et que, par jalousie, elle les a laissés faire. À d'autres moments, je suis sûr qu'elle est victime, qu'elle aussi elle a été droguée, j'imagine qu'elle, elle avait des souvenirs et que la honte et la peur l'ont empêchée de parler. J'ai décidé de ne pas choisir. Je ne sais pas si c'est bien.

C'est un peu comme si tout ça c'était de ma faute aussi.

Un beau matin, elles entrent dans ta chambre, elles ont un air contrit, elles te parlent avec trop de douceur, elles sont venues à trois pour t'annoncer quelque chose.

La directrice.

L'éducatrice.

La psychologue.

Elles ne te disent pas tout de suite, elles se servent un café, elles tournent autour, parlent du temps qu'il fait, des transports en commun bloqués par le froid, des vitres des TGV qui éclatent, des lignes électriques qui gèlent, de la nuit de Noé, de sa dernière tétée, elles te demandent comment tu vas, si tu as bien dormi; toi, tu te recroquevilles dans ton lit que tu n'as pas quitté, tu sens le coup venir, inévitable, rien ne pourra te protéger, il te faut les entendre, tu écoutes malgré toi, tu pourrais fuir et tu ne le fais pas, peut-être veux-tu savoir, peut-être ne veux-tu pas, prise au piège de la vérité qu'elles détiennent et qu'elles vont t'annoncer, tu fermes les yeux...

on connaît le coupable, on sait qui t'a fait ça, la police a appelé, il a tout avoué.

Il s'agit donc de ça.

Et soudain, tu sais que tu attendais ce moment, que tu n'as fait que ça, attendre depuis que Noé est là, attendre comme tu aurais dû attendre cet enfant. Et maintenant que cette attente va cesser, tu redoutes de savoir, et même tu en es sûre, tu préférerais ne pas, que les autres le sachent te suffit, qu'ils admettent que tu n'as pas menti, et que tu n'es pas folle, mais il est trop tard, il faut que tu entendes, il faut que tu apprennes de leur bouche ce nom dont elles vont se débarrasser, qui les encombre, il faut que le coupable porte un nom, et que de ce nom te reviennent des images, il faut que tu regardes cette vérité en face, c'est à ça qu'elles pensent, la vérité en face, quand tu n'as que ton dos à offrir à la nuit.

Et bientôt, tu le sais, viendra le moment où tous ils te demanderont d'accorder ton pardon.

Il s'appelle Thibaud. Il a mis de la drogue dans ton verre, du GHB, c'est pour ça que tu te souviens de rien.

Il paraît que tu le connaissais bien, ce Thibaud?

Elles te regardent maintenant en silence, tu le sens au travers de tes paupières closes, tu ne réagis pas, le nom t'est familier mais tu n'imagines pas, non, tu n'imagines rien, tu ne te dis même pas que ce n'est pas possible, tu ne cries pas, tu ne pleures pas, tu ne sens rien, tu pourrais rire, c'est si bête, aussi bête qu'un accident, c'est juste un accident, ça aurait pu tout aussi bien ne jamais avoir lieu, un hasard, une connerie, tu leur demandes de te laisser, tu as besoin d'être seule, elles hésitent, elles répètent, «tu es sûre?», elles insistent, disent qu'elles ne s'en vont pas loin, qu'elles seront derrière ta porte, elles finissent par sortir, tu t'allonges dans ton lit, les yeux toujours fermés, tu tournes autour de toi-même, tu ne sais pas quoi penser, abasourdie, tu attends, tu attends encore, tu cherches à tâtons dans la nuit un sentiment, mais tu n'éprouves rien, c'est ça le plus effrayant, que ça ne t'appartienne pas, comme si c'était toujours l'histoire de quelqu'un d'autre, tu étais inconsciente et cette inconscience te protège, tu te blottis dedans, tu ne veux pas savoir, tu ne veux pas penser à Thibaud ivre et fou d'un désir que tu ne partages plus, tu repousses cette image mais elle est déjà là, malgré toi, elle se met à te tourner autour, comme un corps étranger, ça entre dans ta tête, tu repenses à Thibaud, tu dessines son long visage aux traits fins, ses cils épais qui assombrissent son regard, ses grands yeux noirs toujours si tristes sauf quand tu y plongeais les tiens, tout près tu avais vu qu'ils brillaient et, sans t'en rendre compte, tu t'approches du souvenir, c'est si doux d'y penser, comme avant tu caresses ses lèvres, tu passes ta main dans ses cheveux, tu cherches à l'apaiser, tu épouses sa tristesse, tu sens son désespoir, tu te mets à sa place et tu comprends sa rage.

Tu sursautes.

Tu jettes tes couvertures.

Tu te lèves.

Tu es debout.

Il te faut l'effacer, tu voudrais l'effacer, mais ça ne suffit pas, rien ne suffit jamais, tu n'es pas suffisante, alors il t'arrache ce à quoi tu ne veux pas consentir, *et si c'était ta faute?*, et si c'était toi qui avais joué avec le feu, son amour auquel tu n'avais pu répondre, et si tu avais pu simplement l'aimer comme il t'aimait, tu es prise de vertiges, tu t'es glissée dans sa peau et tu te fais du mal, c'est un salaud, un salaud, tu lui trouves des excuses, il est là devant toi à te tendre cette main que tu ne veux pas prendre, tu le vois, et tu pleures, et son visage se tord, dans ton souvenir, il brûle comme du papier glacé, sa bouche tordue par la colère durant cette nuit de neige, sa main comme des serres de rapace, cette nuit-là, déjà, tu as su qu'il te voulait du mal, que son amour vorace te voulait tout entière et que toi, tout entière ne suffirait jamais à combler son désir, tu ne voulais pas, souviens-toi, tu ne voulais pas, il te faisait peur, ce n'est pas à toi qu'il parlait, c'était à une image, c'est pas ça que tu voulais, il ne t'aimait pas, toi, il aimait quelqu'un d'autre, celle qu'il a violée.

Mais celle qu'il a violée, c'est toi, qu'est-ce que toi tu peux faire avec ça ? Tu n'es pas elle, et pourtant elle, c'est toi. Tu es là, tu n'es pas là, il t'a coupée en deux... en trois... en mille morceaux. Tu n'es plus rien, il n'est plus rien, tu n'es pas là, c'est ça qu'il t'a donné, cette absence à toi-même.

J'ai rouvert les yeux, j'ai regardé ma chambre, le monde autour de moi. Le vertige a cessé. Il y avait mon violon, mon bureau et au-dessus des livres qui m'attendaient. Je me suis mise au travail. Je me suis plongée dans le programme d'histoire, chapitre 3, les relations internationales, le bloc Est/Ouest, j'ai fait des fiches, souligné les titres en rouge, écrit les définitions en vert, j'ai dessiné des cartes, avec des flèches de toutes les couleurs, et des légendes limpides, ça a duré des heures, je ne me suis arrêtée que lorsque mes yeux fatigués se sont fermés malgré moi, la nuit était tombée depuis longtemps déjà quand je suis allée me coucher, épuisée mais sereine, avec la certitude que désormais c'était de ma volonté seule que dépendrait ma vie.

Le monde autour de moi grondait d'un son nouveau.

On m'a dit qu'il fallait porter plainte.

On m'a dit « contre Stan aussi ».

« Tous les deux méritent quelques années de prison. »

On m'a fortement conseillé de lire la lettre de Thibaud. J'ai refusé. Je ne voulais même pas la voir, encore moins la toucher. Mille fois, je me suis imaginée en train de la déchirer. Elle est dans un tiroir.

Je ne veux pas porter plainte. Thibaud en prison, à quoi ça servirait ? Me venger ? Je n'en éprouve pas le besoin. J'imagine ses remords, le poids qu'il va être obligé de porter, ça suffit bien comme ça. Et si les autres, les juges, les flics décident de lui faire un procès, moi, je refuserai d'y aller. C'est à ces gens-là de faire leur travail.

Moi, j'essaie juste de cesser d'y penser.

Mes parents insistaient pour me voir. « Ça peut plus durer comme ça, c'est plus possible, t'as pas le droit de nous faire ça ! » J'éludais, je leur demandais du temps. Mais du temps, eux, ils n'en avaient plus. Un beau matin, ils ont débarqué au centre sans avoir pris rendez-vous. J'ai vu que ça contrariait Virginie. Elle les avait fait attendre dans le hall, elle m'a répété que j'avais le droit de ne pas les voir, quand bien même elle ne comprenait pas ce que je leur reprochais.

– Je ne leur reproche rien.

Je ne peux pas affronter leur souffrance, leur regard, je n'en ai pas la force.

Elle a haussé les épaules.

– Faudra bien que ça arrive…

Je suis donc descendue pour les voir. J'ai demandé à Virginie de rester avec moi.

Ils étaient tous les deux assis dans la salle des visites, au milieu des cubes et des jouets pour les enfants. Je n'aimais pas cet endroit. On aurait dit que les murs transpiraient des mots qui n'avaient pu être dits, de ceux qui avaient fait du mal, des rencontres ratées, douloureuses, c'était comme une frontière entre ici et dehors, entre notre bulle et ce monde qui, quand il ne jugeait pas, au mieux ne comprenait rien.

Ils n'avaient pas quitté leurs manteaux, assis côte à côte, on aurait dit qu'ils se tenaient l'un l'autre pour s'empêcher de tomber. Quand ils m'ont aperçue, nos regards se sont croisés. J'ai vu le plaisir et l'anxiété mêlés, et j'ai baissé les miens. Je ne supportais pas, *je ne peux rien donner.*

C'est monstrueux, ils n'y sont pour rien.

Je sais mais je ne peux pas, je ne suis plus leur petite fille. Et c'est celle-là qu'ils voient, celle que je ne suis plus.

Je me suis assise loin d'eux. Ils se sont tous les deux tournés vers Virginie, attendant qu'elle sorte avant de se mettre à parler.

– Louise préfère que je sois là, elle a dit en souriant.

J'ai vu leur visage se chiffonner de contrariété. Ils se sont jeté un coup d'œil et maman a fait signe à papa de se lancer malgré tout.

– C'est difficile, Louise, de te parler vraiment dans ces conditions-là... Je sais pas si tu te rends compte...

J'ai regardé Virginie, suppliante. Elle est venue à mon secours :

– Louise est encore très fragile, et encore plus fragilisée par les derniers événements. Les émotions trop fortes risquent de la faire plonger à nouveau et elle a besoin de toutes ses forces pour revenir à une vie normale, vous comprenez ?

Ils ont hoché la tête. Ils ne comprenaient pas. Mes chagrins leur appartenaient depuis toujours, je leur appartenais, ils ne se faisaient pas à cette situation. On leur volait leur fille. Si Virginie n'avait pas été là, j'ai senti qu'ils auraient laissé éclater leur colère. Dans le fond, ils m'en voulaient terriblement, retenant chacun de leur geste pour ne pas le montrer.

Ils ont soupiré ensemble, et puis mon père a commencé par s'excuser d'avoir douté de moi, de ne pas m'avoir crue, je l'ai arrêté net :

– Ça n'aurait rien changé, papa. Personne ne pouvait me croire. Moi aussi, j'en savais rien... Et puis, tu sais, savoir ne change rien non plus...

– Si, ça change tout.

– Pas pour moi. Je ne vais pas porter plainte. Si vous êtes venus pour ça...

Le silence est tombé, lourd et chargé de tout ce qu'ils se retenaient de me dire. Les voir me faisait si mal... J'aurais tellement voulu pouvoir me réfugier dans leurs bras et partir avec eux, revenir à la maison, reprendre ma vie d'avant et réparer le mal que j'étais en train de faire. J'aurais voulu me dédoubler, pouvoir leur rendre leur enfant, celle qu'ils avaient vue grandir, pour laquelle ils avaient construit un avenir lumineux issu de leur bonheur. J'aurais pu partir plus sereine pour vivre ma vie à moi, une vie qui serait étrangère à la leur, et à laquelle ils n'auraient plus accès. C'était ça que je voulais, qu'ils ne voient jamais plus celle que j'étais devenue. Plus tard, oui, plus tard, quand la plaie ne serait plus à vif, quand je serais devenue quelqu'un, juste vivante, moi…

– Ulysse te réclame…

C'était la voix de ma mère, douce et envelop-pante. Je me suis crispée, les nerfs à vif, j'ai juste baissé la tête.

– Il nous fait vivre un vrai cauchemar. Je ne sais plus quoi lui dire…

– Dis-lui la vérité !

Elle a haussé les épaules comme quand je disais des bêtises, comme si j'avais six ans. Je me suis énervée.

– Alors, je suis condamnée à mentir, c'est ça que vous êtes venus me proposer ? Faire comme si…

– T'es injuste, Louise, on veut juste éviter de tout détruire. Il y a des vérités qui ne sont pas bonnes à dire, pas tout de suite, qu'est-ce que tu veux qu'il comprenne à tout ça ? Tu veux lui faire du mal ?

– Non.

Elle avait raison, peut-être. Je me suis tournée vers elle, je l'ai regardée droit dans les yeux pour la première fois depuis qu'ils étaient là.

– Je veux pas lui faire de mal, mais je ne peux pas mentir. C'est la seule façon que j'ai trouvée pour pas mourir, c'est tout.

Ils se sont redressés sur leur siège, mal à l'aise. Ils détestaient les drames, les émotions trop fortes, ce qu'ils appelaient les «grands mots». Et je me suis dit soudain que c'était ça que j'avais fui, aussi, toutes les raisons qu'ils se seraient données pour atténuer ce que je vivais, de le traduire avec leurs mots à eux, acceptables.

Ils le savaient comme moi.

Tout bas, papa a marmonné:

– Nous, tu sais, on voudrait juste essayer de t'aider.

– Personne...

– Si, nous. Et on est là pour ça, pour te proposer de revenir petit à petit à la maison.

Ma mère a enchaîné:

– On ne veut pas te brusquer, prends le temps qu'il te faut mais, pour commencer, peut-être que vous pourriez venir à Noël?

Elle s'est tournée vers Virginie.

– Qu'est-ce que vous en pensez?

Elle s'est contentée de hausser les épaules. Je l'ai remerciée tout bas, je savais qu'elle aussi, elle pensait que ça ne serait pas plus mal. Moi, je voulais juste pouvoir prendre le temps d'y penser et d'en avoir envie. De dire «je veux» au lieu de céder au désir de qui que ce soit.

Mon cœur s'est mis à battre à tout rompre dans ma poitrine et je me suis mise à trembler.

– Je sais pas…

Je pensais à Noé. Il aurait plus de deux mois. J'ai baissé la tête. Et soudain, j'ai eu l'absolue certitude qu'on ne serait plus ensemble.

Je me suis levée brusquement, je leur ai dit que j'allais y réfléchir, je le leur ai promis, mais là, il fallait que j'y aille tout de suite, je suis sortie sans dire au revoir. Encore une fois, je fuyais, c'était encore possible, bientôt, ce serait fini, l'heure des choix approchait.

Tout allait trop vite. Les mains enfoncées dans mes poches, j'ai accéléré le pas, avec ce sentiment d'être à contretemps, fébrile, inquiète, un peu tremblante.

Je pensais à Noé. Je ne cessais de m'efforcer de penser à mon fils. À chaque pas, je répétais son nom, et c'était comme des coups réguliers, j'aurais pu aussi bien frapper mon front contre un mur, jusqu'à ce que ça saigne, jusqu'à ce que ça fasse plus mal dehors que dedans. Et trouver la force de me mettre à pleurer.

Ça faisait une semaine que je ne l'avais pas vu.

Une semaine sans le chercher à la crèche. Personne n'était venu me le rappeler, au centre, personne ne m'en avait parlé, tous, ils avaient donc cessé d'y croire, me laissant faire. Jusqu'à l'inévitable.

J'ai compris qu'on allait m'enlever la responsabilité de cet enfant.

J'ai admis que je lui faisais du mal.

Non pas que je l'oubliais.

Non.

C'était pire. Je n'arrivais pas à penser à lui.

Pour moi, il n'existait toujours pas.

Déni.

C'était ça.

Jamais je n'ai senti avec autant de force le vide que ce mot-là laissait à l'intérieur de moi.

J'avais fait trois fois le tour du quartier, je suis passée devant le jardin de la crèche sans même m'en rendre compte. Et puis, j'ai entendu les enfants qui jouaient. Je me suis arrêtée. À travers les épais arbustes, j'ai observé Félicité qui tenait Noé dans ses bras. Il était emmitouflé chaudement dans sa doudoune bleu pâle. J'ai vu ses petits poings tendus vers sa nounou qui regardait ailleurs parce qu'un autre enfant pleurait après une chute. Elle a posé Noé dans un transat avant de se précipiter vers l'autre qu'elle a pris dans ses bras, le calant sur sa hanche. Noé était tout seul. Il s'est mis à pleurer. De loin, j'ai reconnu ses pleurs, ça me faisait si mal que j'ai fermé les yeux, ses larmes coulaient sur moi, me rentraient dans la peau, j'ai prié pour que Félicité se retourne mais elle soignait le genou qui saignait...

J'ai fait le tour du jardin, je suis entrée comme une folle et j'ai pris Noé dans mes bras. J'ai senti le regard étonné des autres autour de moi. Étonné d'abord et puis réprobateur. Noé continuait de pleurer. Il se tortillait dans tous les sens, rouge cramoisi, et pas du tout rassuré. Mon premier mouvement a été de le rendre à Félicité. Mais je savais le sens qu'aurait alors mon geste. Il fallait que je résiste à ma propre panique. Pas pour les autres. Pas pour moi-même. Pour lui, là, que je tenais dans mes bras.

J'ai soudain pris conscience de mes mains crispées qui le serraient trop fort, de mon corps tendu comme un arc, de ma mâchoire serrée, j'ai respiré, fort, cherchant au fond de moi la force de m'apaiser, il fallait, il le fallait, pour lui, trouver quelque part au fond de moi cette douceur et ce calme dont il avait besoin. J'ai pensé à ma mère, à sa main dans mes cheveux, à l'odeur de sa peau, mes yeux se sont fermés, je l'ai serré contre moi, j'ai murmuré que j'étais là, avec lui, et je lui ai promis d'essayer, «je te promets de ne plus t'oublier, je sais que tu es là, d'accord, tu es en vie».

J'ai pris sa tête à l'intérieur de ma main, son tout petit crâne contenu dans ma paume et j'ai continué à le bercer. Il criait toujours mais je n'avais plus peur. Je marchais tranquillement, mon bébé contre moi, j'ai même relevé la tête pour soutenir le regard des gens autour de moi. Ils ont baissé le leur, gênés. Et tout le monde a repris ses occupations. Félicité m'a lancé :

– C'est l'heure de son biberon !

Je suis entrée dans la crèche.

Noé ne pleurait plus.

Il avait avalé son biberon d'une traite. Maintenant, il me regardait, les yeux grands ouverts et faisait des grimaces. Il m'a fait rigoler.

J'ai demandé à le garder avec moi pour la nuit et j'ai prévenu que le lendemain aussi, il resterait dans ma chambre. Félicité a froncé les sourcils.

– Désolée, Louise, mais ce n'est pas un jouet. Ici, il a ses habitudes, maintenant et on peut pas lui imposer des ruptures au gré de tes humeurs...

Je l'ai pris en pleine figure. Mais je n'ai même pas cherché à lui répondre. Elle avait entièrement raison. Et peut-être que dans le fond, ça m'a même rassurée. Elle avait l'air de savoir ce qui était bon pour Noé. Et c'est ça que je voulais, juste ça, sentir que je faisais ce qu'il fallait pour lui.

Je lui ai tendu Noé. Je m'attendais à ce qu'elle le reprenne, je m'apprêtais à sortir et à laisser tomber. Avec ce sentiment presque tranquille de retrouver mon unique certitude : être une *bonne à rien*.

Mais elle ne l'a pas pris.

Elle a tendu la main et m'a caressé la joue.

– T'es une toute petite fille, Louise...

Et elle m'a tourné le dos.

Je suis restée avec Noé dans les bras, complètement désarçonnée, ne sachant plus quoi faire. Partir, rester, seule ou avec lui ?

Je suis retournée dehors, je l'ai mis dans son transat. Et j'ai regardé les autres jouer au toboggan. Ça a duré un moment, je ne pensais plus à rien, à nouveau, j'étais vide, absente et plus consciente de rien. Et puis j'ai senti quelque chose qui frôlait mon jean. Ça m'a tirée de ma torpeur. J'ai baissé les yeux. Noé donnait des coups sur ma jambe. Il regardait ailleurs, il ne se rendait pas compte mais c'est quand même lui qui m'avait ramenée à moi-même. Je lui ai dit, en riant :

– Qu'est-ce que tu me veux, toi ?

Il a tourné la tête vers moi. Je me suis approchée de lui. Mon visage tout près du sien.

Je l'ai pris dans mes bras, je l'ai serré contre moi.

Et c'était tellement doux, et simple, évident d'être ensemble.

On était en fin d'après-midi, le jour baissait. C'était l'heure de son bain.

Je suis retournée voir Félicité.

– Je voudrais quand même... au moins lui donner son bain, là-haut. Et après, je le ramène pour la nuit ?

Elle m'a donné son assentiment d'un simple signe de tête et je suis partie très vite, de peur qu'elle ne change d'avis avant que je ne disparaisse.

Ça a duré quelques jours.

Des jours où enfin j'acceptais.

Des jours pour toute une vie.

Pendant des jours et des nuits, je t'ai regardé vivre, émerveillée. Je n'arrivais plus à te quitter des yeux. J'ai eu l'impression de me nourrir de chacun de tes gestes, du grain de ta peau, si douce, de ton odeur et de ton regard. Comme si toi, si petit, tu parvenais à me contenir tout entière à l'intérieur de toi.

Et puis nous allions nous promener. Et je te racontais le monde, tout ce que je voyais, les bruits, les sons, les voix, mes mains, les tiennes... Tu n'aimais pas le violon. Ça te faisait immédiatement couiner, ça t'affolait, je crois. Il n'y a que les voix qui t'apaisaient. En boucle, nuit et jour, nous avons écouté Pergolèse.

Je me souviens de tout comme d'un rêve éveillé. Ancrée dans l'instant présent, légère et insouciante. J'avais donné vie à Noé. Il existait. J'en avais enfin la sensation charnelle, et pendant ces quelques jours, cette sensation m'a remplie tout entière comme une révélation.

Au cours de l'une de nos pérégrinations avec Noé, je suis entrée dans une église. J'ai allumé un cierge et je me suis agenouillée pour prier. Je ne crois pas en Dieu. Je n'aime pas les curés. Je me suis recueillie, j'ai poussé un soupir, j'ai remercié la vie.

Et puis un beau matin, quand on s'est réveillées, on a vu qu'il avait neigé toute la nuit. Awa et Leïla se sont précipitées dans ma chambre. Elles voulaient qu'on aille se rouler dans la neige avec nos petits.

On a marché longtemps, en poussant nos trois poussettes sur les trottoirs glissants. On avançait de front, cahin-caha, moitié sur le trottoir moitié dans la rue. Les gens en nous voyant s'écartaient en souriant. Les poussettes roulaient mal, on perdait l'équilibre, on riait aux éclats, les enfants avaient le nez rouge et les yeux qui brillaient.

On a fini par décider d'aller faire nos courses de Noël. Dans le grand centre commercial d'à côté. Il y faisait délicieusement chaud, c'était calme, lumineux et plein de décorations colorées. Il y avait même *Jingle Bells* qui passait en boucle au-dessus de nos têtes. C'était comme un délire, un moment hors du temps, c'était déjà Noël.

J'étais prise d'une frénésie de plaisir. J'avais les joues trop rouges, mon cœur battait trop vite, je dépensais trop d'argent. Ivre comme si je sortais de prison.

J'ai trouvé une boîte de Mécano pour Ulysse, des gants en laine pour ma mère, un livre pour mon père et pour Noé une salopette verte avec une chemise rouge vif. Je m'imaginais déjà en dessous du sapin, j'imaginais vraiment, c'était comme un délire, tout redevenait possible, *et pourquoi pas,* je me disais bien trop fort, comme pour faire taire en moi tout ce qui savait déjà que ce n'était qu'un rêve, que ça ne durerait pas.

Et ça n'a pas duré.

Je ne peux même pas raconter comment c'est arrivé.

Je me souviens juste du moment où je me suis rendu compte que Noé n'était plus avec moi. J'étais devant les cabines d'essayage, attendant de voir sortir Awa et Leïla qui cherchaient des tenues de fête pour le Nouvel An. On venait de voler deux petits hauts dans une boutique juste avant. Ils étaient dans mon sac et n'avaient pas sonné. J'entendais les filles glousser et je ne pensais qu'à ça, *est-ce que c'est la bonne taille?* et puis je me suis retournée, j'ai cherché des yeux la poussette, et elle n'était plus là...

J'ai tourné dans le magasin, je suis sortie, je suis entrée dans un autre, un autre encore, je ne savais plus lesquels on avait faits et, soudain, je l'ai retrouvé. Il attendait sagement. Je me suis mise à trembler, je suis sortie du magasin et j'ai rejoint les filles. Je ne leur ai rien dit.

On est rentrées fatiguées.

J'ai amené Noé à la crèche. Et je suis montée dans ma chambre.

Les raisons, je me suis dit, j'en avais tout un tas, objectives, recevables, audibles pour les autres.

C'est ça que je vais faire? Abandonner Noé? Lui faire ce mal-là?

Mais est-ce que ce n'est pas plus mal encore de faire semblant, de me forcer à éprouver ce que je n'éprouve pas? J'ai pourtant essayé, je le jure, *mais à qui donc je parle?* J'aurais tellement voulu pouvoir y arriver, c'était tellement plus simple. Pour lui. Mais ça m'est impossible.

J'essaie de l'imaginer sans moi au pied d'un sapin de Noël.

Sans moi.

Plus grand. Il ouvre ses cadeaux. Il a les yeux qui brillent. Une femme est avec lui. C'est sa mère. Oui, c'est une autre qui va lui raconter des histoires, veiller sur son sommeil, c'est elle qui le conduira pour la première fois à l'école. Elle fera ça si bien, elle l'aura attendu, désiré, elle est déjà quelque part à l'attendre…

Cette image me déchire et m'apaise en même temps. Parce que c'est tout ce que je sais que je ne peux donner.

À cause de cette attente que je n'ai pas vécue, à cause du désir qui n'a jamais grandi, de la violence aussi, de savoir qu'il ressemble à son père.

Mais ce n'est pas sa faute!

Je sais mais ça ne change rien.

L'innocence de Noé, de sa vie qui commence, n'est pas un argument. Ça ne se monnaie pas l'amour, c'est un leurre, un mensonge aussi grand que la culpabilité que j'éprouve à ne pas l'aimer comme il faudrait l'aimer. Ce n'est pas ça le problème, ce n'est pas ça qui compte.

Il n'y a pas de coupable. Il y a le pire qu'il faut éviter. Une vie sans amour. Je ne veux pas ça pour lui. Ai-je le droit de penser que ça vaut mieux pour lui ?

Et vivre dans le remords, coupable du pire, tu en es capable ? Cette vie-là, sans lui, juste le poids de ton igno-minie sur la conscience, est-ce que tu crois que cela t'est possible ? Tous les jours ?

Je ne sais pas. J'ai mené ce combat, accepté qu'il existe.

J'ai appris à le regarder, à le toucher, à le porter dans mes bras, j'ai passé des heures à côté de lui pendant son sommeil. Et quand je ferme les yeux, je retrouve aussitôt la sensation de mes lèvres sur sa peau, son odeur. Et j'en éprouve une joie si intense qu'une émotion sans nom vient me couper le souffle. Cet enfant est vivant, c'est moi qui l'ai mis au monde, ça je l'ai accepté, je l'ai vécu, je l'aime mais je ne suis pas sa mère.

Et toute ma vie, oui, je serai coupable de ça. Je n'ai pas d'excuses. Mais je n'en cherche pas. C'est comme ça. C'est tout ce que je parviens à faire.

C'est ça que je dirai demain à la directrice pour expliquer mon choix.

Awa a passé la tête dans ma chambre. Elles m'attendaient pour dîner.

Elle avait préparé un mafé au poulet. Je n'avais pas faim, pas envie de manger, mais je me suis forcée. Je sais qu'elles avaient remarqué que je n'allais pas bien mais elles n'en ont rien dit. Awa racontait ses premiers jours comme caissière au Franprix. Elle imitait le patron, elle était drôle, elle a fini par dire qu'elle tiendrait pas la semaine. Et puis Jennifer s'est lancée :

– Je suis enceinte...

Je suis restée avec un morceau de poulet suspendu au bout de ma fourchette, bouche ouverte. Les filles ont crié de joie. Elles l'ont félicitée.

Moi, j'ai fondu en larmes.

Mon cher petit Noé,

Cette lettre, c'est la seule chose ou presque que je vais te laisser. Ça ne sera pas assez, tu n'imagines sans doute pas ce que ça me coûte de l'écrire…

« Presque la seule chose », et pour le reste, il n'y a pas de mots.

Je m'appelle Louise Beaulieu.

Je viendrai quel que soit le moment si tu veux me rencontrer. Où que tu sois. Et je serai honnête autant que je le pourrai. Parce que je te le dois. Cette vérité, notre vie à tous les deux pendant ces six semaines.

Je ne peux pas t'expliquer maintenant. Je ne veux pas me justifier non plus. Je sais juste que c'est mieux pour toi.

Je n'ai pas su que tu grandissais en moi. Tu es arrivé sans crier gare un beau matin, pendant un cours de maths. La veille, peut-être, en ai-je eu l'intuition…

Ce soir-là sans savoir j'ai su. J'étais au concert à la salle Pleyel. J'ai su à travers la musique, à cause ou avec elle. C'était la 9ᵉ de Mahler dirigée par Claudio Abbado. Je me suis mise à attendre, à attendre si fort que les larmes ont coulé.

Une émotion brute, douloureuse et si lourde, ça monte crescendo, pas à pas, et puis ça se déchire dans un chaos sonore, pas tout de suite, pas encore, ça menace, ça tourmente et puis ça disparaît, la mélodie revient, comme un souvenir, légère, insouciante, et pourtant nostalgique, déjà perdue, elle s'enfuit, s'estompe, et la violence reprend, explosive... Ballottée, submergée, je me rends, il n'y a rien à comprendre, et soudain ce silence, l'intuition du vertige, quelque chose qui s'incarne...

Quand j'ai repris conscience, j'étais à l'hôpital.

Je suis seule dans cette chambre où tu n'es pas. Seule dans mon corps, seule dans ma tête, et pourtant nous sommes deux. Tu dors sans doute un peu plus loin, ailleurs, je ne le sais pas, je ne sais pas encore que tu existes, je suis fatiguée, ma tête est lourde. J'ai peur.

Quand on m'a dit que tu étais arrivé, quand j'ai compris, j'ai fui. Oui, je suis partie en courant.

Et puis je n'ai pas pu.

Parce que je ne pouvais vivre sans t'avoir regardé, sans avoir essayé, sans t'avoir donné vie. Ça a duré longtemps avant de pouvoir se faire. Et puis c'est arrivé, au bout de quelques semaines...

Pendant des jours et des nuits, je t'ai regardé vivre, émerveillée. Je n'arrivais plus à te quitter des yeux. J'ai eu l'impression de me nourrir de chacun de tes gestes, du grain de ta peau, si douce, de ton odeur et de ton regard. Comme si toi, si petit, tu parvenais à me contenir tout entière à l'intérieur de toi.

Et puis nous allions nous promener. Et je te racontais le monde, tout ce que je voyais, les bruits, les sons, les voix, mes mains, les tiennes... Tu n'aimais pas le violon. Ça te faisait immédiatement couiner, ça t'affolait, je crois. Il n'y a que les voix qui t'apaisaient. En boucle, nuit et jour, nous avons écouté Pergolèse.

Tu es un merveilleux petit bébé, sage et bien portant. Tu gazouilles déjà beaucoup et tu aimes la musique. Tu es chatouilleux sous le bras gauche, tu as un rire rauque, c'est drôle dans un corps si petit. Et puis tu as les grands yeux de ton père. Quand tu les ouvres, je te sens prêt à dévorer le monde et à aimer la vie. De ça, je suis certaine. Parce que c'est aussi l'histoire de ta naissance. Ce désir que tu as eu, avec obstination, de venir à la vie et de l'imposer malgré les circonstances. C'est de ça dont je me souviendrai dans les jours qui viennent, quand tu ne seras plus là. C'est comme un cadeau. Je sais que tu as voulu la vie, ça me donne la force de continuer la mienne.

Je te confie à d'autres qui vont savoir t'aimer, qui vont te voir grandir.

Je te souhaite, mon cher ange, la plus belle vie du monde.

Louise

Un an plus tard

Je viens de recevoir une carte de Santiago du Chili. Je l'ai accrochée au-dessus de mon bureau à côté des autres et j'ai pensé aux cailloux blancs du Petit Poucet. Louise s'en est allée loin, à chaque fois un peu plus, d'abord à Nantes en internat pour passer son bac. Et puis à Rennes parce qu'elle a eu Sciences Po. J'ai répondu à ses petits mots rigolos par d'autres petits mots anodins. Le dernier m'est revenu, c'est comme ça que j'ai appris qu'elle avait tout planté et j'ai cru que j'avais perdu sa trace. Et la voilà maintenant à l'autre bout du monde ! Elle a trouvé un poste d'assistante de langue au lycée français.

Pour la première fois, elle m'écrit qu'elle va bien.

Là-bas, tout me faisait mal. Ici, je n'ai plus peur de croiser mon bébé, je ne le cherche plus dans les poussettes ou dans les bras d'une autre. Il fallait que je disparaisse pour le laisser grandir. J'ai l'impression que, parce que je suis loin, quelque chose est redevenu possible. En attendant ce jour où il voudra me rencontrer. Et s'il ne le veut pas, ce sera bien aussi.

Quant à toi, Samuelito, n'oublie pas en grandissant de rester courageux. Sans toi, je n'en serais pas là. Encore une fois merci. ☺

Louise

Remerciements

Avant d'écrire ce roman, j'ai cherché à visiter des centres maternels. Et j'ai eu la chance de rencontrer Mme Brigitte Da Silva Cabral qui dirige le centre maternel du Mont Boron à Nice. Sa confiance immédiate et le temps qu'elle a pris pour m'accompagner dans ce lieu formidable m'ont profondément touchée. Mes pensées vont d'ailleurs à toute l'équipe du centre du Mont Boron et à la générosité de leur accueil.

Et je tenais à remercier mille fois ma fille, Elisa, pour ses conseils musicaux comme pour avoir "traduit" en langage SMS les textos que mes personnages s'envoient.

scripto

Laissez-vous surprendre et emporter par vos émotions...

scripto

Scripto

scripto

Loi n° 49-956 du 16 juillet 1949
sur les publications destinées à la jeunesse

Couverture : Marguerite Courtieu
PAO : Françoise Pham
Imprimé en Italie par L.E.G.O. Spa - Lavis (TN)
Dépôt légal : janvier 2013
N° d'édition : 242891
ISBN : 978-2-07-064 796-5